Y0-CBW-715

murs mémoires

de Rhône-Alpes à Québec…

Cette publication a été réalisée à l'initiative de
la Commission de la capitale nationale du Québec
et des Éditions Lyonnaises d'Art et d'Histoire,
avec l'aide de la Région Rhône-Alpes.

Région RhôneAlpes

Direction de l'Europe, des Relations
Internationales et Coopération

Québec

Commission de la capitale nationale du Québec
525, boulevard René-Lévesque Est, R.C.
Québec (Québec) G1R 5S9
Téléphone : 418 528-0773
www.capitale.gouv.qc.ca

Direction des publications : Denis Angers
Chargée de projets : Hélène Jean
Rédactrice : Nathalie Bissonnette
Révision linguistique : Dominique Johnson
Recherche iconographique : Annik Cassista

Pour le Canada, ISBN : 9782551237821

Editions Lyonnaises d'Art et d'Histoire
2, quai Claude-Bernard
69007 Lyon (France)
Téléphone : 00 33 (0)4 78 72 49 00
Fax : 00 33 (0)4 78 69 00 48
www.editions-lyonnaises.fr
CitéCréation : www.citecreation.fr

Pour l'Europe, EAN : 9782841472086

Corinne Poirieux • Nathalie Bissonnette

murs mémoires

de Rhône-Alpes à Québec...

10 ans de fresques au Québec

Commission de la capitale nationale du Québec • Éditions Lyonnaises d'Art et d'Histoire

Tout au long de son histoire, l'homme a cherché à représenter le monde et à donner vie à son imaginaire. En maîtrisant l'image, il a également réussi à exprimer et à faire partager ses émotions.

Ce regard porté sur la société est au cœur même du travail des créateurs et des artistes, qui contribuent à ouvrir de nouveaux champs et à relier les hommes. C'est un enjeu fondamental pour la liberté, mais aussi pour la défense et l'expression de la diversité culturelle.

Empreinte de l'histoire des peintures rupestres de la Grotte Chauvet, qui constituent un précieux témoignage pour l'humanité toute entière, notre Région est marquée par cette forme de dialogue qui s'exprime au-delà des mots, évoque l'histoire des hommes, nous parle de leur vie quotidienne, de leur culture, de leurs savoirs et de leurs croyances.

À l'époque contemporaine, les fresques murales, réalisées dans le cadre de la profonde amitié nouée entre la Région Rhône-Alpes et la Province de Québec, apportent une contribution essentielle aux liens de fraternité qui unissent les habitants de nos deux territoires.

Elles mettent en lumière notre capacité à partager nos émotions et à imaginer un avenir commun. Au fil des pages, ce livre donne à voir autant de belles réalisations, qui sont le fruit de projets fédérateurs. Je vous souhaite beaucoup de plaisir à les découvrir.

Le Président de la Région Rhône-Alpes

Une fresque, telle un cadeau !

La Commission de la capitale nationale du Québec souligne avec fierté dix ans de fresques monumentales dans la région de la capitale du Québec.

Depuis la Fresque des Québécois, en 1999, réalisée avec la complicité originelle de CitéCréation, des dizaines d'autres murales ont joyeusement coloré la peau de murs aveugles dans les arrondissements de Québec et de Lévis, sur la Côte-de-Beaupré et jusqu'à Wendake.

Depuis la première collaboration liant Québec à Lyon, la Commission de la capitale nationale a été la porteuse enthousiaste de projets significatifs tant pour les artistes québécois formés à la peinture murale que pour les habitants des quartiers ayant reçu une fresque en cadeau.

Il faut avoir vu la joie briller dans les yeux des populations interpelées lors du dévoilement d'une fresque pour en comprendre toute la portée sociale. Cela fait penser à la remise d'un cadeau : au-delà de sa teneur, c'est le sentiment qui anime l'acte de donner et de recevoir qui compte le plus.

À ce beau sentiment s'ajoute de surcroît une grande satisfaction, celle de voir ainsi racontée de manière durable la plus belle des histoires : la nôtre.

En fait, au fil des ans et des réalisations appréciées, je me suis convaincu que la première des vertus de la fresque murale de grandes dimensions est cette fierté renouvelée qu'elle inculque au cœur d'une population en lui faisant prendre concrètement conscience de la richesse de son passé collectif, à toutes échelles.

Le Président et directeur général
de la Commission de la capitale
nationale du Québec

Ainsi commence l'histoire...

« C'était un dimanche matin de 1998, au pied de la Fresque des Lyonnais... » Ainsi commence l'histoire, la formidable histoire de ces regards croisés entre Lyon et Québec, sur fond de peintures murales. De rencontres heureuses en coups de cœur, de pressentiments tenaces en volontés concertées, de murs de légendes en murs idéaux, voilà le parcours d'une belle idée et de sa concrétisation, sur une décennie, qui débouche sur l'infini et ridiculise l'impossible, de l'infiniment petit à l'infiniment grand...

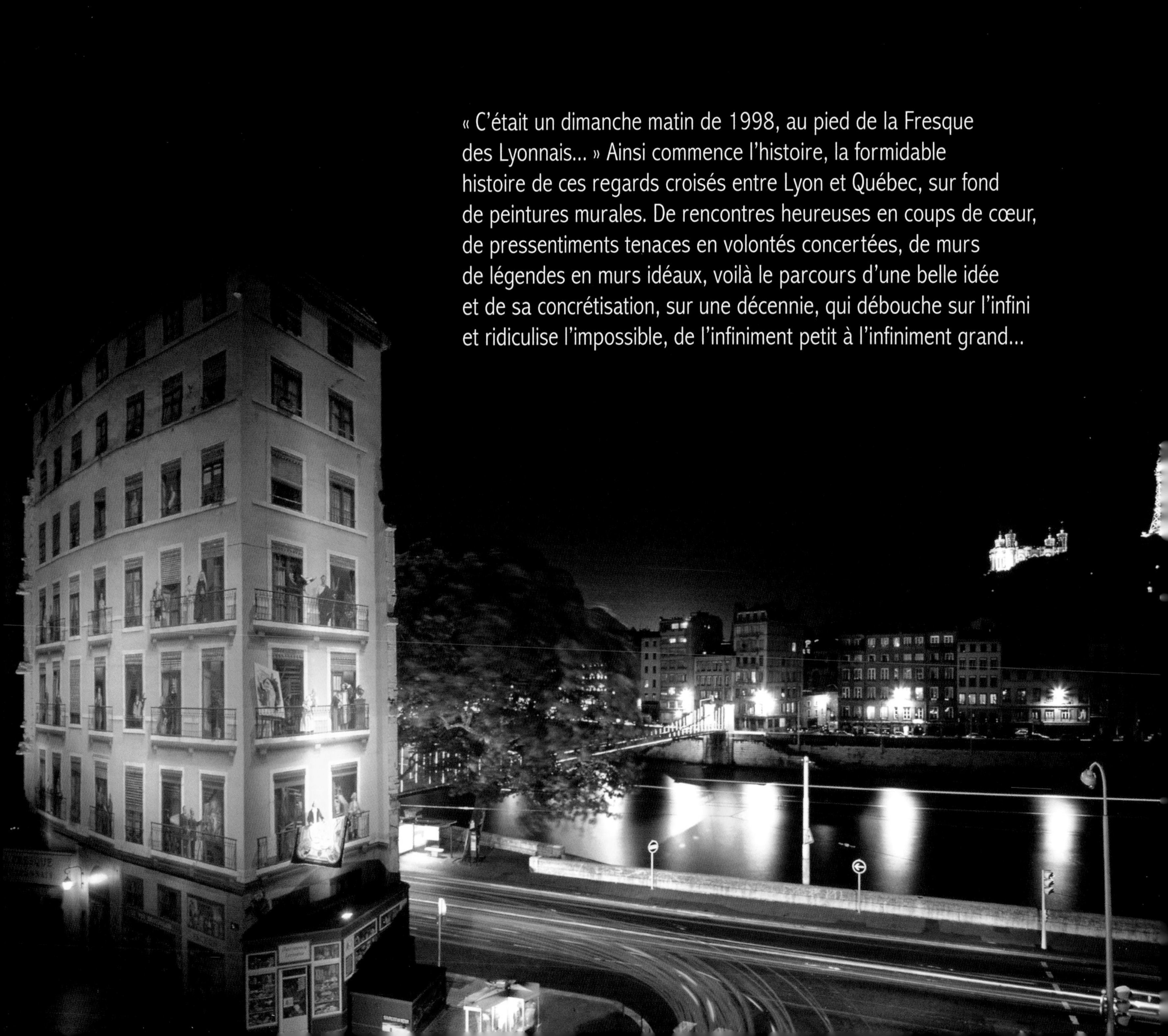

À l'origine, une émotion, une rencontre

Une émotion ? Celle qui bouscule le président et directeur général de la Commission de la capitale nationale du Québec, devant la Fresque des Lyonnais, découverte lors d'un passage à Lyon pour comprendre ce qui fait de la ville la capitale de la Lumière ! À Lyon, une vision originale de l'urbanisme contemporain se met en place, dont le but est d'appréhender la ville dans son ensemble, et non plus comme une coquille abritant une juxtaposition de fonctions. La ville vit la nuit désormais, elle se contemple, se visite, les yeux grands ouverts, les sens en éveil. Ce qui est possible à Lyon doit l'être aussi à Québec. La ville s'y prête également, le fait est incontestable, elle et ses richesses architecturales, sa dimension historique, ses beautés cachées... Le Lyonnais Alain Guilhot et sa société Architecture Lumière s'exporteront donc au Québec. Auparavant, ils avaient réalisé, entre autres, la mise en lumière de la Fresque des Lyonnais, sur les bords de Saône.

Saint-Exupéry et les frères Lumière aux balcons de la Fresque des Lyonnais

La Fresque des Lyonnais avait trois ans. Elle avait été précédée, en Espagne, de la fresque intitulée Les Balcons de Barcelone, réalisée également par CitéCréation, à l'occasion des Jeux Olympiques de 1992. Chaque fois, le même réflexe identitaire : ce qui est possible ici, pourquoi ne pas le transposer ? Chaque fois la même émotion, le même pressentiment, les mêmes parallèles mis en évidence... pour peu que l'homme-ressource s'approprie l'histoire de sa ville et la restitue au regard du passant. La Fresque des Lyonnais a permis d'édifier des ponts entre les époques et les générations, entre les mémoires d'hier, la vie d'aujourd'hui et l'histoire de demain. L'émotion, la découverte, la poésie, l'histoire, le rêve sont au bout de la rue, pour tous.

Les Balcons de Barcelone

Mais qui sont ces muralistes talentueux que le président Pierre Boucher découvre ? Ces « frescœurs de Lyon » au long cours sont des magiciens de la palette des couleurs. Des débusqueurs d'images, des pourvoyeurs d'émotions, des flibustiers du pinceau, des allumeurs d'étoiles, dit-on encore de ceux qui, depuis vingt ans, font dialoguer les murs de leur ville avec ses habitants...

LA FRESQUE
DES LYONNAIS
LE POT BEAUJOLAIS
VACHON
LE PROGRES

La Fresque des Lyonnais

Angle quai Saint-Vincent/rue de la Martinière, Lyon 1er, 800 m², 1995.

La Fresque des Lyonnais raconte la ville, entre les collines de Fourvière et de la Croix-Rousse, à deux pas de la Place des Terreaux et de l'Hôtel de Ville. Elle évoque la ville à travers les hommes et les femmes qui l'ont modelée, mise en valeur, célébrée. L'hommage qu'ils méritaient leur est rendu, là, sur le mur en trompe-l'œil. Du plus réaliste des portraits aux détails qui ponctuent, de la mise en scène à l'évocation plus subtile, le patrimoine lyonnais s'affiche sous les yeux ébahis du passant médusé.

Ils sont 30 hommes et femmes célèbres, lyonnais, de l'empereur romain Claude, né à Lyon en l'an 10 avant J.-C., à l'abbé Pierre ou Paul Bocuse, dans un raccourci trompe-l'œil. Ils se côtoient à travers les siècles, réunis par la volonté des muralistes de CitéCréation. Sont évoquées les techniques avec Jacquard ou les frères Lumière, l'aventure avec Claude Martin ou Verrazane, les sciences avec Claude Bernard, la littérature avec Louise Labé et Maurice Scève jusqu'à Saint-Exupéry et Frédéric Dard, la recherche avec Marcel Mérieux et Ampère, l'humanisme avec Pauline Jaricot, le sport avec Bernard Lacombe, de l'Olympique Lyonnais. Tous les noms sont indiqués, ainsi que les partenaires. Le mur s'étudie comme un livre, la découverte est progressive, il faut prendre son temps.

Aujourd'hui la Fresque des Lyonnais fait partie des sites les plus visités de Lyon, au même titre que la basilique de Fourvière ou le quartier Renaissance du Vieux-Lyon... comme un hommage vibrant à cette ville historique, à ses hommes, à ses ambassadeurs, à son patrimoine. Il est des murs comme des cicatrices, des murs aveugles, des murs que l'on voudrait gommer. Et il est des villes que ces murs laissent indifférentes. Il en est d'autres qui les habillent, Lyon est de celles-là, qui favorisa une aventure qui n'en finit pas de forcer l'admiration, celle d'un mur peint mis en scène auquel les Lyonnais se sont largement identifiés et devant lequel des millions de touristes se sont émerveillés et s'émerveilleront encore.

Conception, réalisation : CitéCréation
Mise en lumière : Architecture Lumière, Alain Guilhot
et Service Eclairage Public de la Ville de Lyon.

Bibliographie :

La Fresque des Lyonnais, un patrimoine mis en scène,
CitéCréation, Editions Lyonnaises d'Art et d'Histoire, 2005.
Le Guide de Lyon et ses murs peints,
Corinne Poirieux, Editions Lyonnaises d'Art et d'Histoire, 3e édit. 2008.

Lyon
Cité de la Création
La maison des

La Fresque des Lyonnais : Joseph-Marie Jacquard et Philippe de Lasalle

“ Dès sa création en 1995, la Commission de la capitale nationale du Québec (CCNQ) a joué un rôle important dans l'aménagement et l'embellissement de Québec. Pour Pierre Boucher, qui en a été le premier président et directeur général, tout le génie humain alors appelé à intervenir dans la mise en beauté de la ville demeure incomplet sans l'apport de l'art public. « Je souhaitais associer les artistes à la conception du paysage urbain, mais il fallait trouver de quelle façon le faire. » Une première avenue s'est imposée d'elle-même avec la mise en place d'un programme de sculpture visant la commémoration historique. Une autre piste s'est amenée du côté de la lumière. Une mission à Lyon ayant pour thème l'aménagement de l'espace public a permis à Pierre Boucher de découvrir quelque cent cinquante mises en lumière de bâtiments lyonnais. Aujourd'hui, les différentes opérations de mise en lumière de la CCNQ touchent une vingtaine de lieux et de bâtiments patrimoniaux d'envergure.

De la quête à la réalité…

Puis il y eut cette rencontre avec Gilbert Coudène. Un moment inscrit dans le cours du temps qui unit Québec à Lyon, teinté de fascination et d'affection mutuelle. Un créateur passionné par son métier, porteur d'une vision démocratique de l'urbanisme, attire l'attention du président de la CCNQ toujours motivé par l'intégration de l'art public à la conception du paysage urbain de la ville. « Il avait une façon très originale de me présenter son entreprise et ses projets. Je l'ai donc invité à venir parler de la peinture murale à Québec. » Début d'une alliance fructueuse entre des personnes éprises d'une passion commune : accomplir des gestes de beauté accessibles à tous. Une quête était en voie de devenir réalité. « J'étais convaincu qu'un projet costaud pourrait marquer le coup et susciter le goût de continuer. À cela s'ajoutait la ferme conviction qu'il fallait y associer des artistes québécois. On m'a vite fait remarquer que des artistes québécois capables de réaliser des fresques murales en trompe-l'œil sur des échafaudages extérieurs à plus de trente mètres dans les airs, ça ne courait pas les rues. » Qu'à cela ne tienne ! Appel de candidature, formation intensive à Lyon, et voilà que trois artistes de Québec seront les premiers muralistes émoulus de ce vaste chantier intitulé « La Fresque des Québécois ».
Si tout cela ne sautait pas à l'évidence au début de l'aventure, rappelle Pierre Boucher, « l'idée de la fresque est vite devenue une réelle option pour intégrer les artistes à l'aménagement de l'espace public ».

Pierre Boucher,
premier président de la Commission
de la capitale nationale du Québec

CitéCréation

Parmi les images fortes de la ville de Lyon, celles des murs peints réalisés par l'entreprise coopérative CitéCréation sont présentes partout, identitaires et historiques. L'équipe (ils sont 12) en a réalisé plus d'une soixantaine dans la ville. Le secret de ces peintres muralistes devenus leaders mondiaux en matière de fresques ? Loin de figurer par hasard sur les pignons aveugles des immeubles en mal de vivre, les murs peints de Lyon constituent aujourd'hui un tout. Ils font partie des lieux, racontent l'histoire, une histoire de ville forgée au fil des siècles par la volonté de ses habitants. Et si, entre les premiers contacts avec les producteurs et l'inauguration du mur, les étapes sont nombreuses et complexes, en liaison avec les populations mitoyennes, chacune d'elles est assurée par les muralistes de CitéCréation, qui en maîtrisent le processus de bout en bout. « Notre intervention apporte une dimension imaginaire et sensible avec un sentiment d'appartenance sociale à un quartier de la ville » expliquent-ils.

CitéCréation : Joëlle, Jean-Paul, Odile, Jean-Michel, Gilbert, Aïcha, Pierre, Halim, Elisabeth.

« Les murs, c'est la peau des habitants ! »

Depuis 1978, CitéCréation crée des œuvres monumentales, fresques ou design urbain, dans l'espace public ou privé, au service des habitants, des touristes, des visiteurs... CitéCréation a signé plus de 470 œuvres monumentales aux couleurs des villes de Lyon, de Mexico, de Barcelone, d'Angoulême, Biarritz, Marseille, Brest, Paris, Trikala, Berlin, Leipzig, Carcassonne, Porto, Namur, Jérusalem, Tibériade, Vienne, Yokohama, Moscou, Shanghai, Québec... Toutes ces créations affichent des identités culturelles, sociales ou économiques. Elles ont vocation à révéler, marquer, embellir des lieux, des quartiers, des villes, des espaces urbains, industriels ou de services, sur des territoires régionaux, nationaux et internationaux.

Le mur peint est révélé en tant qu'œuvre par le regard du passant. Une fois abouti, il fait partie du domaine public, du patrimoine. Les partenaires du projet, qu'ils soient institutionnels ou entreprises privées, en assurent le financement. C'est grâce à eux que les murs peints colorient les villes, pour leurs habitants et leurs visiteurs, comme des oasis dans des océans de béton...

Lyon.
Le Mur des Canuts
(1 200 m² en trompe-l'œil)

Abonnée aux records, CitéCréation affiche un palmarès qui force l'admiration avec, à Lyon dans la région Rhône-Alpes, entre autres et dans le désordre chronologique, le Mur des Canuts, un trompe-l'œil de 1200 m² (réactualisé tous les 10 ans), la Fresque Lumière (une première mondiale), les 30 fresques du Musée Urbain Tony Garnier (les logements sociaux les plus visités de France), l'Espace Diego-Rivera (pour le 50e anniversaire de la disparition du peintre), les fresques de la Sarra (3000 m²), mais aussi en plein centre de Shanghai, la fresque réalisée en trompe-l'œil sur la façade du bâtiment de Carrefour Wuning Store, en 2008 (5000 m², un record mondial !)...

Lyon. La façade préhispanique de l'Espace Diego-Rivera
(SACVL)

Lyon. La Fresque Lumière (340 m²)
Scénario pictural raconté par la lumière.
C'est une première mondiale !
Ce mur peint intègre, par la fresque
et la lumière, une mise en lumière
nocturne scénarisée.
Dessin de François Schuiten,
mise en lumière de la Ville de Lyon,
eca et Vialis.

Lyon. Les Cités Idéales
La Fresque de Shanghai (en médaillon) et les Tours de Babel, vues par Brüegel l'Ancien, Nicolas de Crécy et le cabinet d'architectes Wolf D. Prix/CoopHimmelbau.

Shanghai. Sur la façade du bâtiment de Carrefour Wuning Store (5000 m²), la plus grande peinture murale en trompe-l'œil au monde.

“CitéCréation peut compter sur une équipe expérimentée qui possède des techniques maîtrisées et éprouvées pour mener à bien sa mission. Mais la réelle récompense va bien au-delà. Pour le cofondateur de cette entreprise coopérative, elle réside dans l'existence du regard de l'autre.

Gilbert Coudène manifeste un enthousiasme contagieux. Pas surprenant que CitéCréation en soit à compiler des centaines de fresques dans le monde depuis sa fondation ! Descendants directs des premiers muralistes de la préhistoire, ainsi qu'il définit les artisans de CitéCréation, ce muraliste entrepreneur évoque le caractère universel de la fresque dans cette volonté qu'affiche l'humain de vouloir affirmer son identité.
La fresque, c'est un répit dans la ville ; une brèche dans un amoncellement de devoirs, de droits, d'interdits et de feux rouges – les grillés comme les observés – et cela par centaines. « Une fresque, au détour d'une rue, raconte ce maître muraliste, capte le regard et incite au recueillement. On s'y retrouve. Elle permet alors de faire une incursion dans les couches de sa mémoire. L'observateur s'approprie le mur. Il devient le mur. La fresque fait œuvre sociale avant tout. Les résultats sont tangibles et remarquables. Plus le quartier est défavorisé, plus ses habitants en sont transformés. Les gens grandissent d'un centimètre ou deux. Ils sont en quelque sorte réhabilités. Ils se redressent de fierté. En trente ans, et 470 fresques plus tard, les réactions varient peu au moment d'inaugurer une fresque. L'étonnement arrive au premier chef. Voilà l'universalité de ce mode d'expression d'un autre point de vue ! »

Un mode d'expression à l'effet universel

Pour CitéCréation, le peintre muraliste est un artisan avant tout, et non un artiste. « Nous sommes là pour révéler quelque chose du lieu, d'un milieu, d'une société. Nous sommes à l'écoute des gens et des lieux que nous interprétons pour ensuite transposer sur un mur des couches d'histoire qui se sont sédimentées. Nous exprimons, au moyen de notre capacité, soit celle de manier les pinceaux et la peinture, ce que les habitants nous ont dit et ce que le lieu communique. Pareil au travail d'un archéologue qui gratte, balaie, secoue, cherche des artefacts qui soient témoins de l'histoire passée. Nous faisons la même chose auprès des habitants, des historiens et des sociologues. Puis nous traduisons dans un média, un mode d'expression, un véhicule. »
Si des murs aussi beaux et empreints de fierté forment la peau des habitants, comment ceux-ci pourraient-ils être mal dans leur peau ? « C'est comme s'habiller en dimanche... » S'endimancher Gilbert ! comme on dit au Québec. « Et puis si la fresque fournit aux habitants d'un quartier l'occasion de se reconnaître, de s'identifier, d'être fiers, ils ne vont pas se mutiler. Ils protègent leur environnement et ne le vandalisent pas. » À preuve, jamais n'ont été relevés d'inexorables outrages aux fresques du monde entier...

Gilbert Coudène,
cofondateur de CitéCréation.

CitéCréation : Halim Bensaïd, Aïcha Bezzayer, Joëlle Bonhomme, Elisabeth Bonnet, Jean-Michel Boucher, Pierre Chénel, Gilbert Coudène, Michel Dupoirieux, Jean-Paul Flipo, Odile Michel.

La Fresque des Québécois

Le mur avant...

Le trompe-l'œil a ouvert le rideau, le décor est planté. Québec possède tous les atouts pour accueillir cette nouvelle forme d'art public. C'est décidé, Gilbert Coudène répondra à l'invitation de Pierre Boucher. Celui-ci dispose d'un outil extraordinaire, la Commission de la capitale nationale du Québec (voir encadré), dont la mission est de promouvoir le rôle de capitale de cette ville historique entre toutes, et de la rendre attrayante et digne de sa fonction. En ligne de mire, le 400e anniversaire de la naissance de la ville de Québec, qui se situe en 2008, dans 10 ans... L'enjeu est d'importance ! Et si à Lyon, les murs parlent, murmurent, hurlent, bruissent des histoires du passé, créent des musiques dans la tête des citadins, évoquent l'avenir, font bloc contre la grisaille du quotidien et la culture passe partout, pourquoi les murs de Québec ne tenteraient-ils pas d'en faire autant ? Derrière la peinture, un concept, un potentiel, qui éclaboussent...

L'originalité du concept, la similitude de ces deux villes, Lyon et Québec, jumelles dans leur élégance feutrée, dans leur architecture, dans leur dimension culturelle qui ne demande qu'à reposer sur des principes identitaires, leur volonté commune de développer un tourisme culturel ouvert à tous, le savoir-faire et l'expérience d'une communauté de peintres muralistes (CitéCréation) qui entre alors dans sa vingtième année d'existence, la rapidité d'intervention des outils mis à disposition à Québec font de ce projet, défendu avec talent par Gilbert, à l'automne de l'année 1998 devant les professionnels concernés, un événement dont chacun s'empare, à Québec mais aussi à Lyon, de chaque côté de l'Atlantique. L'alchimie opère...

Une vingtaine de murs « aveugles » sont repérés à Québec par Francine Lacroix, chargée du projet au sein de la Commission de la capitale nationale du Québec, sous la direction de Gérald Grandmont. Des murs susceptibles d'accueillir ce qu'il convient désormais d'appeler la Fresque des Québécois... Le regard affûté de Gilbert, qui a porté déjà de nombreuses fois un tel dossier au sein de l'entreprise CitéCréation, repère LE mur « idéal » et le choisit entre tous. Ce sera, au pied du château Frontenac, lieu fondateur de Québec, sur un mur aveugle de 420 m^2 de la maison Soumande, appartenant à la Société de développement des entreprises culturelles du Québec. Coïncidence heureuse...

La SODEC adhère dès lors au projet de cette œuvre murale monumentale, aux côtés de la Commission de la capitale nationale du Québec. CitéCréation en sera le maître d'œuvre, en assurera la conception et la réalisation. Grâce au soutien financier de la Commission, trois artistes québécois, sélectionnés, recevront à Lyon une formation poussée en matière de peinture murale monumentale : Marie-Chantal Lachance, Pierre Laforest et Hélène Fleury, encadrés par l'équipe de CitéCréation. Un savoir-faire qui s'exporte ? Plus que cela... Les peintres muralistes de CitéCréation revendiquent depuis toujours l'esthétique comme une des composantes fondamentales de l'aménagement de la ville. Marie-Chantal, Pierre et Hélène deviendront à leur tour, au fil des années, les fils conducteurs d'une aventure à partager à Québec, celle qui affiche, sur les murs et sur tous les tons, le droit à la beauté pour tous, au nom d'une face devenue essentielle de l'art public, l'amélioration du paysage urbain.

La Commission de la capitale nationale du Québec

Créée le 22 juin 1995 par l'Assemblée nationale, la Commission de la capitale nationale du Québec s'acquitte d'une triple mission : contribuer à l'aménagement et à l'embellissement de la capitale, la promouvoir par un programme varié d'activités de découverte et de commémoration et conseiller le gouvernement du Québec sur la mise en valeur de son statut. Elle est gérée par un conseil d'administration composé de 13 membres nommés par le gouvernement et représentant divers milieux de la société québécoise, et intervient sur le territoire de la Communauté métropolitaine de Québec. La Commission est devenue un instrument incontournable du développement et de la promotion de la capitale, sous l'impulsion de ses présidents successifs, Pierre Boucher (1995-2003), Pierre Boulanger (2003-2005), Jacques Langlois (depuis novembre 2005).

L'aménagement et l'amélioration des édifices et équipements de la capitale font partie de ses missions, ainsi que l'amélioration de la qualité de l'architecture et du paysage ; mais aussi la création, la conservation, la mise en valeur et l'accessibilité de places, de parcs et jardins, de promenades, de monuments et œuvres d'art. Les différentes mises en lumière du programme de la Commission touchent une vingtaine de lieux et bâtiments patrimoniaux d'envergure, dont la cour du Vieux-Séminaire de Québec et l'église de Saint-Charles-Borromée, ou encore le parc de la Chute-Montmorency et l'église de Notre-Dame-des-Victoires qui, le soir venu, révèlent désormais leurs richesses architecturales en refaçonnant le visage nocturne de la capitale. Les promeneurs peuvent également apprécier la riche histoire de la ville par le biais de circuits thématiques et de fresques murales qui célèbrent l'influence de grands personnages, d'ici ou d'ailleurs.

À l'échelle du Québec, la Commission contribue à l'organisation et à la promotion d'activités et de manifestations à caractère historique, culturel et social qui visent à mettre en valeur la ville. Elle cherche également à développer le sentiment de fierté et d'appartenance de tous les Québécois à l'endroit de leur capitale. Qu'il s'agisse de spectacles, de publications, de circuits-découvertes de lieux emblématiques propres à la capitale nationale ou d'expositions, la Commission offre mille et une façons d'inciter les Québécois à s'approprier leur histoire et à se lancer à la découverte d'un passé qui se mêle au présent.

La Commission a impulsé quelques réalisations majeures pour la célébration du 400e anniversaire de Québec en 2008. Le chantier le plus imposant fut la réalisation de la promenade Samuel-de-Champlain qui restitue le fleuve et ses berges aux Québécois. L'acquisition la plus symbolique, grâce à un don de la maison Simons, fut celle de la fontaine de Tourny qui, restaurée et mise en lumière, éclabousse de ses 43 jets d'eau pour devenir une attraction majeure de la capitale.

“ La Fresque des Québécois, d’abord et avant tout projet d’art public inspiré de la Fresque des Lyonnais, est devenue projet de mémoire. « On y retrouve de grands tableaux de notre histoire collective », précise Denis Angers. « Nous avons passé une journée à définir les lignes de force de la fresque. Maintenant, qui et quoi allions-nous y faire valoir ? Nous nous sommes dotés de principes qui, encore aujourd’hui, guident les travaux de chacun des comités scientifiques constitués pour chacun des chantiers. En premier lieu, aucune personne vivante ne figurerait sur la fresque. On s’est donné un délai de carence de dix ans suivant la mort d’une personne avant de commémorer son œuvre, son apport à la société. Ainsi se prémunissait-on contre les émotions, comme la peine et la tristesse, qui pouvaient venir occulter le sens commun. Ensuite, les personnages qui allaient y figurer seraient des hommes et des femmes du Québec ayant entretenu un lien particulier avec la ville de Québec, le lieu. Pour y avoir vécu, avoir fait un geste marquant à Québec ou à son endroit, ou pour avoir offert un legs durable à Québec. De quatre-vingt personnages, nous sommes passés à vingt. Comme quoi, choisir c’est renoncer. Et puis nous avions aussi pour mandat de mettre en présence les partenaires financiers que sont la Société de développement des entreprises culturelles (SODEC) et la CCNQ. »

À l’inauguration, tout le monde était pour. Plus personne n’était contre. La Fresque des Québécois fut l’objet d’une immense appropriation populaire. Un engouement réel que Denis Angers qualifie même de « phénoménal ». « Les gens de Québec étaient renversés par les effets du trompe-l’œil architectural. Et comme c’est la première de toutes, c’est la plus belle pour à peu près tout le monde. Semblable à l’effet du premier amour. » Celui qui marque le cœur et sur lequel le temps a peu d’emprise.
« Les murs peints sont désormais reconnaissables à Québec. Il y en a peu dans l’est de l’Amérique. La Fresque des Québécois figure d’ailleurs au nombre des attraits ayant suscité le plus d’intérêt chez les touristes après le Château Frontenac, le Vieux-Québec et son enceinte. »

Un projet d’art public devenu projet de mémoire

Ce projet de mémoire a connu un succès tel que l’on a voulu se souvenir. Cela a même créé une tendance. « Un rythme s’est installé, soit celui d’une fresque ou deux par an. D’instigatrice, la CCNQ est devenue partenaire. Elle a frayé une voie qu’empruntent aujourd’hui une trentaine d’artistes muralistes, sans compter une demi-douzaine d’entreprises ou de coopératives qui ont vu le jour dans son sillage. »

Denis Angers,
directeur de la promotion et des communications,
Commission de la capitale nationale du Québec.

LIBRAIRIE
Octave Crémazie

Découvrir la capitale nationale

“ Jean Provencher, historien, et Henri Dorion, géographe et alors président du comité consultatif sur la commémoration de la CCNQ, ont été parmi les premiers spécialistes à contribuer aux travaux préparatoires précédant la réalisation de la Fresque des Québécois. « L'enthousiasme du premier comité scientifique était éloquent » raconte Jean Provencher. « L'unanimité s'est vite faite autour du lieu choisi, plutôt évocateur puisqu'il s'agissait du berceau de l'Amérique française. Ma principale crainte, et elle s'est vite dissipée, était que CitéCréation nous donne un poisson sans ligne à pêche. J'entrevoyais toute l'importance de transmettre à des artistes québécois l'expertise nécessaire pour la réalisation d'autres fresques monumentales au Québec. »

En effet, relate Henri Dorion, les membres du comité scientifique se posèrent quelques questions, notamment celle-ci, qui est liée au transfert d'expertise, ou cette autre, touchant la durée de vie d'une fresque, estimée entre dix et quinze ans, après quoi elle nécessitera une remise en état. Et qu'en était-il de l'adaptabilité d'une telle œuvre d'art à notre climat ? Questionnements, analyse, réflexion. Réponses en main, les membres du comité scientifique, formé pour ce qui deviendra la fresque repère, élaborent un cadre réglementaire entourant la réalisation d'une telle forme d'art public dans un contexte de commémoration. « Il nous fallait analyser dans quelle mesure les règles et principes adoptés pour la commémoration par la CCQN étaient applicables à la question spécifique des fresques. Il y a un principe élémentaire pour la commémoration en général : il doit y avoir un rapport, le plus serré possible, entre le sujet de la commémoration et le lieu. Par exemple, on commémore le rôle de personnages politiques sur la colline Parlementaire, cela va de soi. Mais voilà que d'autres principes s'ajoutaient pour l'art de la fresque particulièrement : il nous fallait considérer le recul nécessaire à l'observation ; évaluer la pertinence de consacrer une fresque à un thème, à des personnes, à des événements. Et cette question, toujours si délicate, de la justesse de l'équilibre entre la clarté du message à véhiculer et la liberté laissée à l'artiste pour ce faire. »

Un outil de commémoration soigneusement étudié

Le comité a bien fait ses devoirs. Il a conçu un cadre général qui est reproduit systématiquement. Au fil des rencontres, une évidence s'est dessinée. La fresque est une forme d'art extrêmement intéressante, notamment pour le sens donné au site qui lui servira d'écrin. « Les lieux ont un sens, souvent oublié, voire perdu. » La fresque, comme projet de commémoration historique, allait devoir exprimer le génie du lieu. Ensuite, cette œuvre d'art à ciel ouvert, que tous peuvent admirer gratuitement, permettait d'éliminer du paysage des éléments disgracieux ou insignifiants pour, finalement, valoriser le territoire. Et l'aspect pédagogique de la fresque demeure un élément capital : « Sur les plans de l'architecture, de l'histoire, de la création historique, la fresque donne vie à l'esprit du lieu. Elle constitue une fierté autant pour la population locale que pour les visiteurs. Tous en apprennent beaucoup et rapidement sur la ville. Et comme la nature a horreur du vide, les murs aveugles de la ville sont des feuilles blanches sur lesquelles on peut écrire son histoire. »

Jean Provencher, historien,
et **Henri Dorion**, géographe.

« J'y amène beaucoup de gens qui ne sont pas de Québec, puis je les regarde. La Fresque des Québécois est monumentale. Ils en prennent plein la gueule. Pendant quelques secondes, ils demeurent muets. Et encore, je les regarde. »

Jean Provencher.

*« Depuis 30 ans, CitéCréation aide
les habitants de centaines de quartiers
à faire peau neuve.
Il y a dix ans, cette expertise était portée
par-delà l'Atlantique jusqu'à Québec par
des artisans passionnés. »*

Réaliser une fresque monumentale de cette dimension sur un mur aveugle donne à réfléchir aux témoins de la vie quotidienne du chantier, qui s'installe d'avril à août 1999 à Place Royale, en plein cœur du Vieux-Québec. Après la réfection du mur, place au travail des peintres muralistes. L'œuvre raconte l'histoire de Québec et intègre de nombreux caractères spécifiques à la capitale. Elle rappelle le rythme des saisons, leurs couleurs changeantes, dans un festival de détails savamment orchestrés.

Un transfert d'expertise haut en couleurs

Derrière l'échafaudage, le cheminement, l'enchevêtrement des rêves les plus fous. Où commence et où finit le trompe-l'œil, qui propose de vivre la ville autrement ? L'alchimie opère encore... alors même que le mur s'habille de mille images, crée l'espace où tout jeu de scène semble possible, jouit du respect et de la complicité des spectateurs ébahis. Parmi eux, Jean-Marc Durano et Laurent Satre, venus en simples curieux.
Depuis 1989, la Région Rhône-Alpes dispose d'un bureau permanent à Montréal, géré par Entreprise Rhône-Alpes International (E.R.A.I.). Jean-Marc Durano et Laurent Satre en assument la direction, chargés de privilégier les contacts économiques entre milieux d'affaires rhônalpins et québécois. Au pied de la Fresque des Québécois, au cœur de leur mission, ils proposent à CitéCréation la mise à disposition de leur structure. Pour faciliter la mise en œuvre du programme de fresques voulu par la Commission de la capitale nationale de Québec, il faut envisager que CitéCréation passe le relais, fasse profiter de son expérience en la matière, crée une entreprise, ici, à Québec... ERAI Montréal sera la cheville ouvrière de ce transfert d'expertise, Jean-Marc Durano et Laurent Satre seront guides et metteurs en place de la nouvelle entreprise.

ERAI Montréal, le passeur de rêve aguerri

« Le projet de la Fresque des Québécois était déjà bien amorcé lorsque Jean-Marc Durano et Laurent Satre, tous deux directeurs d'Entreprise Rhône-Alpes International (ERAI) Montréal, ont débarqué à Place Royale. Plus le temps passait, plus il devenait évident aux yeux de ces passeurs de rêve aguerris que l'art de la fresque avait un bel avenir au Québec : CitéCréation devait s'y implanter ! Le relais a donc été passé à Marie-Chantal Lachance et Nathaly Lessard, artistes et propriétaires de l'atelier de création québécois SautOzieux, à qui on a confié le mandat de fonder MuraleCréation, l'antenne québécoise de CitéCréation.

La fondation de cette nouvelle entreprise sera guidée pas à pas par ERAI Montréal. « Nous étions là pour voir au démarrage et attacher les ficelles du partenariat, depuis le montage juridique jusqu'à la conciliation des objectifs de part et d'autre. » Coup de chance, les partenaires se sont entendus sur l'objectif principal : créer une organisation pérenne, durable et orientée vers l'humain. « À la base, peu importe le secteur d'activité d'une entreprise, commente Laurent Satre, il s'agit avant tout d'une aventure humaine dans laquelle s'engagent des êtres humains. Le partage de valeurs communes et le développement d'une synergie sont des éléments cruciaux pour sa réussite. C'est ce qui s'est passé entre les gens de CitéCréation et de MuraleCréation. Les dossiers retenus s'appuient sur des valeurs intrinsèques, ancrées solidement chez chacun des partenaires. Et à ma connaissance, il n'y a pas eu beaucoup de divergence à ce sujet. C'est ce qui explique la durabilité du partenariat. En d'autres mots, ce sont les valeurs qu'ils ont chevillées au corps qui aiguillent la réalisation ou non de leurs projets. »

Laurent Satre
directeur de ERAI Montréal

« Les Québécois et les Québécoises, ces allumeurs d'étoiles ! Les collaborateurs du Québec ont les yeux pétillants d'intelligence. Ce sont des êtres passionnés, enthousiastes et toujours disposés à parler de leur ville. »

Gilbert Coudène,
président de MuraleCréation

Eleanor
Hugh
Abraham Moses
Stephen
Jules
Françoise
Robert
Gilbert LANGEVIN
Le rêve du quart jour
Rina LASNIER
P. RINGUET
Louis FRECHETTE
Gérald GODIN
Léo-Paul Desrosiers
NORD-SUD
É. NELLIGAN
G. HENAULT
M. CHAMPAGNE-GILBERT
Camille ROY
Jean LE MOYNE
F.DUMONT

Henry
Émile
André
Marcel RIOUX
Gaston Miron
L'homme rapaillé
FELIX LECLERC
CENT CHANSONS
René CHOPIN
Alphonse PICHÉ
Michel BEAULIEU
Hector St-Denys GARNEAU
Gatien LAPOINTE
Marie UGUAY
LARDEAU
ENDEAU
RDUAS
CHON

MuraleCréation : 10 ans déjà !

Il est des rencontres qui dépassent le simple volet professionnel, des amitiés qui transcendent les projets. MuraleCréation, entreprise canadienne de statut provincial, constituée de SautOzieux, atelier de création québécois, et de CitéCréation, société rhônalpine, est née de la complicité de ses acteurs, institutionnels ou privés.

SautOzieux ? Depuis 1997, Marie-Chantal Lachance et Nathaly Lessard créent des atmosphères intérieures, sur divers supports et dans différents lieux, en jouant sur les effets produits par leurs peintures décoratives. L'atelier CitéCréation quant à lui, en 1998, est prêt à créer une entreprise filiale au Québec. Et, dans le cadre de son développement, à l'international, dans un espace francophone aux repères culturels similaires. Les dés sont jetés... Depuis l'année 2000, avec l'aide de la Région Rhône-Alpes et d'ERAI Montréal en structures d'appui, CitéCréation et MuraleCréation ouvrent des fenêtres sur le monde dans des murs sans frontières : place à l'Art urbain, « l'indispensable superflu » !

Marie-Chantal Lachance

Nathaly Lessard

Québec. La Fresque de l'Hôtel-Dieu de Québec

Ils étaient loin de penser, tous, que tout irait aussi vite, et si la peinture murale contribue à donner du rêve, de la mémoire, du cœur au ventre, voire la rage au cœur, à ceux qui n'en ont pas assez, eux en avaient à revendre… 10 ans après la Fresque des Québécois, la fresque-repère, ce ne sont pas moins de trente fresques monumentales extérieures qui jalonnent le parcours de MuraleCréation, de Mont-Joli en Gaspésie à Saint-Eustache en passant par Québec et Lévis ! Entre temps, Gilbert Coudène, président de MuraleCréation, recevait en 2005 le premier prix « Coup de cœur » de la troisième édition du concours de la Personnalité d'affaires Canada-France, organisé par la Chambre de commerce française au Canada. Ce prix récompense les valeurs d'excellence, de travail d'équipe et de leadership dans la communauté d'affaires canadienne. Belle couverture médiatique s'il en est, pour orienter les projecteurs sur un partenariat exemplaire qui a su s'appuyer sur le savoir-faire historique d'ERAI Montréal et la stratégie de la Région pour l'accompagnement à l'international des entreprises et pôles de compétitivité de Rhône-Alpes !

Mont-Joli. L'évolution des communications à travers les âges.

Mont-Joli. Les Fresques du Viaduc

À Mont-Joli, les Murmures de la Ville offrent aux visiteurs une exposition permanente sur le muralisme à visiter, un circuit de 18 fresques à découvrir. Florilège...

"Nos athlètes qui s'illustrent aux quatre temps."

"Les arts traditionnels"

"Une vie économique..."

"La fresque de la 9e Ecole de Tir..."

"De l'enracinement à l'exposition"

Yvon Lavoie, peintre muraliste

Le secret de la réussite de ce transfert d'expertise ? Les peintres muralistes de Québec que l'entreprise MuraleCréation intègre à son équipe sont imprégnés, tous et toutes, d'un savoir lié à l'identité québécoise. Et de la volonté de promouvoir celle-ci. Parce qu'un simple « copier/coller » n'était tout simplement pas envisageable et qu'il était fondamental de se plier aux exigences spécifiques du Québec, qu'elles soient administratives, juridiques, commerciales ou culturelles. Depuis 10 ans MuraleCréation développe avec enthousiasme et met au point avec minutie les techniques de la peinture murale à Québec, en s'appuyant sur les spécificités locales que sont l'histoire, la culture, le climat, en un mot, l'âme québécoise. Les peintres muralistes continuent à bénéficier de l'expertise française en demeurant en interaction permanente avec Lyon, par le biais de la formation continue et du partage de l'ensemble des tâches liées au métier. Ainsi se transmettent les connaissances, ainsi s'acquière l'expérience, au fil des années, au fil des projets.

Saint-Eustache. La Fresque des Patriotes, 1857.

Joëlle Bonhomme

Guillaume Béal

Chaque nouveau projet est étudié à travers le prisme des spécificités québécoises, en définissant ce qui caractérise les lieux, en intégrant les données culturelles, en orientant les producteurs (ils commandent l'œuvre) vers les bons choix, liés à l'aspect identitaire, aux us et coutumes, à l'histoire, au milieu...

Certaines fresques se conçoivent conjointement, réunissant dans un même atelier peintres français et québécois, d'autres naissent à Québec, dans une totale indépendance. Et si Québec ne permet la peinture extérieure que quatre mois par an en raison de son climat, pour ne pas perdre un temps précieux, il est des fresques dont les toiles se réalisent en atelier, de chaque côté de l'Atlantique. Au final, tous les savoirs, tous les talents, d'où qu'ils viennent, se réunissent en sol québécois, pour la mise en peinture finale de tous les éléments, sur place.

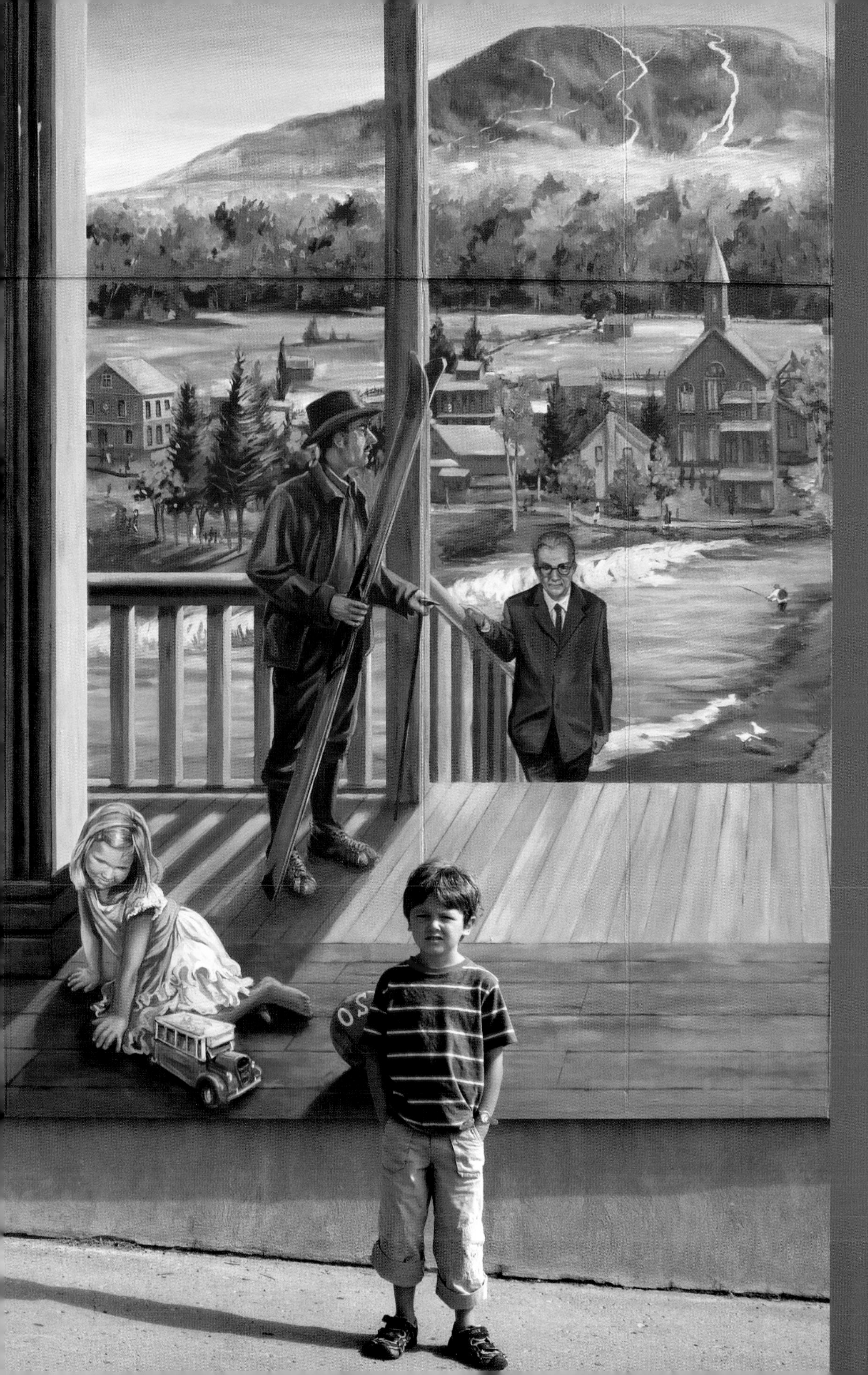

Aujourd'hui, CitéCréation et MuraleCréation offrent une expertise unique, concrétisée par plus de 470 œuvres monumentales dans le monde, dont une trentaine au Québec. C'est à MuraleCréation que l'on doit les fresques historiques du Petit-Champlain, de l'Hôtel-Dieu, des bibliothèques Gabrielle-Roy et Lauréat-Vallière, du Centre-Horizon de Limoilou, celles de Sainte-Anne de Beaupré et de Beaupré, la Fresque BMO de la Capitale nationale du Québec, celle de Wendake, et bien d'autres encore, qui peu à peu changent le visage des villes. Une forme d'art public, jusque-là peu connue de ce côté-ci de l'Atlantique, naît sous l'imagination, le talent et les coups de pinceaux des muralistes.

Marie-Chantal et Nathaly ? Si on leur faisait la courte échelle elles seraient capables de nous accrocher des arcs en ciel dans les nuages... Québec devient à son tour, après Lyon, une référence indiscutable en matière de peinture murale. Existe-t-il plus belle récompense à autant d'énergie, de passion, d'expérience, de patience et d'humilité, concentrées dans chaque fresque réalisée ?

La Fresque de Beaupré (détail)

« Nous étions trois artistes formés par CitéCréation sur le chantier de la Fresque des Québécois, raconte Marie-Chantal Lachance. Hélène FLeury, Pierre Laforest et moi sommes allés à Lyon pour apprendre l'art de la fresque et débuter le travail en atelier. Il fallait en préparer les calques et les maquettes avant de la peindre directement sur le mur. »

Pour ce trio d'artistes québécois, le contexte était pour le moins dépaysant : première expérience menée dans la ville de Québec ; nouvelle équipe de travail ; et surtout, une forme d'art jamais explorée jusqu'ici. « Les attentes étaient grandes, et de toutes parts. La pression n'était pas nécessairement sur nos épaules, nous qui étions encore débutants, mais nous avions le goût de rendre un super produit. Quand je repense à ces quelques mois, cela me fait penser à la mission en Antarctique du biologiste québécois Jean Lemire ! Une équipe est constituée pour initier une mission spécifique et laborieuse, et ce, dans un laps de temps circonscrit et dans des conditions particulières. Ce genre de situation crée des liens forts et uniques. C'est ce que nous avons vécu. Cette première expérience a été merveilleuse. »

D'aventure en aventures

La démarche est positive. Marie-Chantal et Nathaly, déjà partenaires en affaires dans une entreprise de peinture murale, sautent à pieds joints dans l'aventure proposée : établir l'antenne québécoise de CitéCréation. Soutenues par Entreprise Rhône-Alpes International et inspirées des principes qui guident les projets de CitéCréation depuis une vingtaine d'années, ces deux artistes spécialistes en peinture décorative, devenues muralistes, démarrent les activités de MuraleCréation au Québec. Des dizaines de projets seront initiés. De Québec à Mont-Joli, à l'entrée de la Gaspésie, en passant par Saint-Eustache, des pans de notre histoire sont couchés sur des murs par les équipes de MuraleCréation. À l'été 2008, une dizaine de muralistes ont travaillé sous la supervision de l'entreprise. Et pour la plupart formés par les ateliers de Lyon lors de stages organisés et financés par l'Office franco-québécois pour la jeunesse et la Région Rhône-Alpes, d'une durée de deux mois, avec rémunération et hébergement sur place. « C'est extraordinaire. Ces gens-là travaillent dans nos équipes par la suite ! »

À terre ou juchées à 100 pieds dans les airs, Marie-Chantal et Nathaly échafaudent des projets d'avenir. Peindre pour dévoiler l'histoire d'un lieu et de ses habitants sur des murs qui, jusque-là, échappaient au regard des passants. Après le passage de MuraleCréation, les murs vibrent d'émotions et de souvenirs retrouvés. « Nous sommes des artisans. Notre force, c'est la mise en forme. On fait appel à ceux qui connaissent l'histoire et qui nous dictent son contenu. C'est extrêmement nourrissant de travailler avec un comité scientifique : c'est recevoir une leçon d'histoire chaque fois. Et si, en plus, on s'associe des gens du milieu, et des personnes âgées qui racontent des faits vécus, le succès de la démarche est assuré. Cela donne lieu à des moments d'émotion intenses qui, tôt ou tard, imprègneront le mur d'un quartier. »

« Je me souviens, à l'occasion de la réalisation de la fresque intitulée "La Médecine de campagne" à Mont-Joli, d'un homme âgé qui me racontait, ému aux larmes : "Ce docteur-là a accouché ma mère de ses 14 enfants !" Les témoignages de ce genre-là sont monnaie courante. Une fresque réussie touchera les gens. Il y a quelque chose de senti. Si l'on travaillait sur un concept personnel agrandi sur une grande surface, cela pourrait émouvoir nos amis, notre famille ; ces personnes qui nous connaissent et qui aiment ce que nous faisons. Mais à travers le temps, ça ne passerait pas. »

Nathaly Lessard, aussi associée de MuraleCréation, intervient une fois le contrat signé. « Je suis responsable de la mise en œuvre des chantiers. » Travail dans l'ombre, certes, mais essentiel à la mise en lumière de chacune des fresques. Structures d'échafaudage, matériel requis tel que peinture, pinceaux, enduit de surface... tout doit être prêt quand la mise en peinture commence. « Chaque début de saison est différent selon les projets de fresques en cours et le lieu où l'on travaille. Il nous a fallu adapter nos outils à la réalité du climat québécois. La saison estivale est plus courte qu'en Europe et les jours de pluie plus fréquents ! Nous disposons donc d'échafaudages munis de toits, ce qui permet de travailler plus longtemps et de respecter nos délais de livraison. » Dix ans après la fresque-repère, MuraleCréation est à l'heure des constats : « Nous nous interrogeons, précise Nathaly. Ce qui a été fait tient-il la route ? Et la réponse est affirmative. Quelques petites marques d'usure sont observées, là où les gens touchent littéralement la fresque, mais de manière générale, elles vieillissent très bien ! »
Et enfin, à l'issue du processus, alors que Nathaly supervise le démontage et le remballage de tout le matériel, l'artisan, de son côté, ajoute Marie-Chantal, doit se dire qu'il a participé collectivement à cette fresque, sans insister sur les illustrations qu'il a lui-même réalisées. La démarche doit comprendre une forme de détachement. « Un peu comme un accouchement. L'enfant n'est plus en soi ; il a sa propre vie. De la même manière, la fresque ne t'appartient plus... » L'œuvre d'art achevée vit désormais au contact de celles et ceux venus l'admirer. Elle enseigne, divertit, et sème le germe de la fierté.

Marie-Chantal Lachance et Nathaly Lessard,
artistes muralistes et entrepreneures

Peinture murale et trompe-l'œil

L'art pariétal est la première expression de la peinture murale. Depuis que l'homme s'est mis debout, qu'il a trempé sa main dans les couleurs de la terre et du charbon de bois, il a choisi de l'appliquer sur un mur sous forme de traces, de dessins, d'images de beauté, d'effroi, d'illusion, de magie. De l'empreinte au dessin représentatif, des figures animales tapies au fond des grottes aux techniques savantes de l'anamorphose, de la paroi de la caverne à celles de la chapelle Sixtine, l'homme a souvent élevé, au fil des siècles, le résultat de ce geste au rang d'œuvre d'art. Les modes d'expression et les techniques de la peinture murale devenue culture de rue sont héritiers de cette histoire séculaire, des murs publicitaires du temps des « réclames » aux murs peints qui s'offrent au regard des passants, comme un cadeau, pour une lecture différente de la ville et de ses espaces. La peinture murale, en contact avec les habitants, favorise l'expression populaire, le lien social, l'identification aux lieux. On entre dans le domaine de l'espace public, dans celui de l'imagination de ses créateurs, véritables acteurs d'une civilisation de l'image, et de ses décideurs, passeurs de rêves.

CitéCréation :
Lyon. Musée Urbain Tony Garnier "Les années 1900".
Les affiches-réclames reconstituent sur le mur le contexte historique et social de la fin du XIXe et du début du XXe siècle à Lyon. Un partenariat lie désormais le Musée Urbain Tony Garnier à la ville de Mont-Joli, au Québec, aux objectifs communs.

Solidaire de l'architecture quand il s'agit de peinture murale, le trompe-l'œil joue sur la perception du spectateur, donne l'illusion de la réalité, fascine, trompe sans jamais déranger. Jeux de séduction, de confusion. « *C'est en quelque sorte l'art du faux, ou du vrai vu autrement*, explique Jean-Michel Boucher, responsable de la production de CitéCréation. *Il faut aider le spectateur à regarder d'autres points de vue. Les reliefs sont obtenus grâce à une maitrise calculée des nuances, une alchimie des couleurs, des plus sombres aux plus claires, une représentation des ombres portées, qui n'ont pas la même intensité d'un lieu à un autre, d'une région à une autre. Les règles de la perspective sont bousculées pour mieux jouer de l'ambiguïté. Il faut modifier les points de fuite, les multiplier pour mieux tromper l'œil. La construction architecturale et son rapport à l'espace sont mis au point, en atelier, en amont de la réalisation de la fresque* ». Pas de place pour l'improvisation dans ces puzzles soigneusement élaborés.

C'est ce concept que les muralistes de CitéCréation exportent au Québec : ils trompent l'œil mais pas le regard. Et c'est derrière l'échafaudage de la Fresque des Québécois que tout un chacun découvre l'ampleur du savoir-faire à acquérir, de la préparation minutieuse du mur à la réalisation haute en couleurs de la fresque en elle-même.

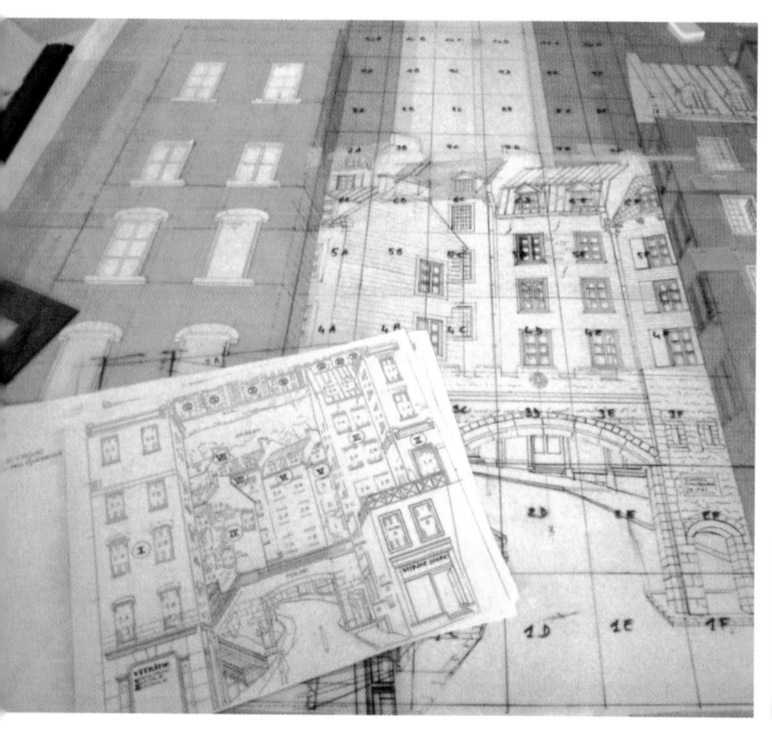

SOCIÉTÉ DE DÉVELOPPEMENT
DES ENTREPRISES CULTURELLES
Sodec

SOCIÉTÉ DE DÉVELOPPEM
DES ENTREPRISES CULTU

Techniques et transmissions

Certes, tout n'est qu'histoires de cœur et d'émotions partagées dans cette aventure transcontinentale de murs qui s'envolent et prennent la parole comme autant de « traces, éphémères et fragiles ». Mais au-delà des beaux mots, des rêves à mettre en formes, il y a l'exigence, celle de la technique, celle du résultat. S'il y a plusieurs manières de peindre un mur, justement, celle qui a donné son nom à l'appellation générique de la « fresque » en tant que mur peint, issue du mot italien « a fresco », est difficilement applicable à des grandes surfaces car elle doit se faire rapidement, entre la pose de l'enduit et son séchage complet, par l'application de pigments de couleurs, qui imprègnent le mortier de chaux en séchant. D'autres techniques sont donc employées.

Pierre Laforest

Certains auront pour tâche de dessiner les visages...

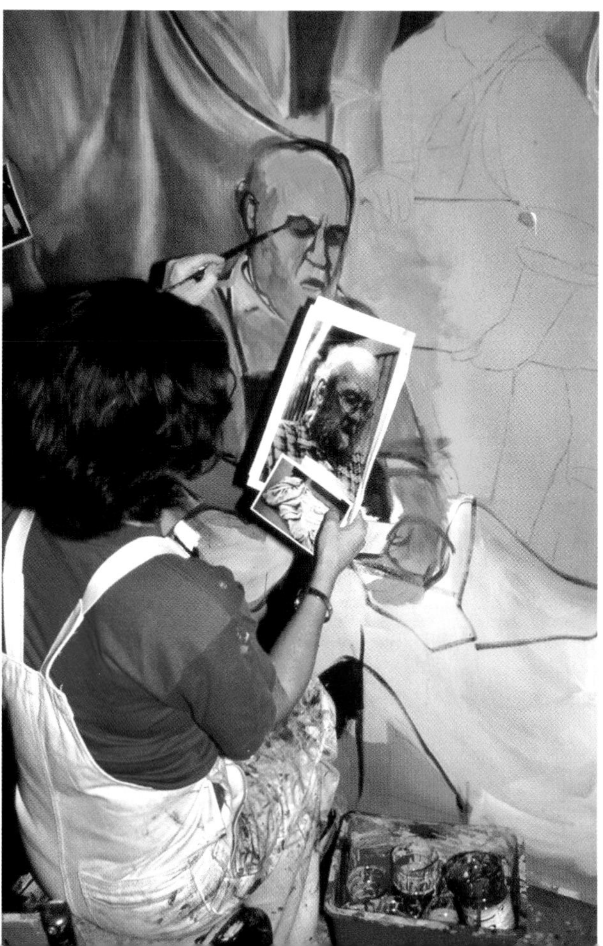

Avec Joëlle Bonhomme, directrice artistique...

... de la trace au résultat final.

Formation et transfert de savoir-faire

Maquette de la Fresque de l'Hôtel-Dieu de Québec.

Le métier ? Comme ailleurs, c'est la pratique qui prévaut. Les stages de formation de jeunes artistes pris en main par CitéCréation à Lyon s'appuient sur l'encadrement des plus jeunes par les plus expérimentés, de l'atelier au mur à traiter. La phase de concrétisation de la fresque est précédée de longs mois de travail. Neuf, au dire de certains, comme un enfantement ! Du projet d'intention à l'inauguration, les étapes sont nombreuses, rigoureuses, établies, souvent simultanées, toujours abouties parce que, c'est la grande force de CitéCréation, le savoir-faire est collectif, le processus maîtrisé de A à Z.

MuraleCréation et CitéCréation composent une équipe de peintres muralistes qui conjuguent compétences et talents.

Le comité scientifique mis en place pour chaque projet concrétise l'idée de départ, la cadre dans un contexte historique, apporte la rigueur nécessaire dans le choix des thèmes à traiter. La rencontre et le dialogue avec les résidents du lieu est une étape importante dans l'élaboration de la fresque, pour qu'ils puissent s'approprier l'œuvre une fois terminée. Puis commence le travail de création. Ceux-là mêmes qui interviendront sur le mur, les peintres muralistes, sont chargés de transposer ce qui résulte des multiples concertations, de concevoir l'image à reproduire, scène par scène, d'en faire une maquette, nécessaire à la validation du projet. Le passage de relais, dans le cadre de la formation mise en place par CitéCréation, débute là, à l'atelier, à ce moment de la conception des fresques. Des peintres muralistes indépendants sont chaque fois greffés à l'ensemble de l'équipe de CitéCréation, sont responsables de leur production jusqu'au résultat final... C'est ainsi que le groupe s'élargit, s'enrichit, se ressource de l'apport de tous. Une équipe de peintres muralistes se constitue avec des savoir-faire différents : certains auront pour tâche de dessiner les personnages, les visages, d'autres les paysages, d'autres encore seront spécialisés dans l'architecture ou le trompe-l'œil. C'est la somme de ces talents qui constitue la puissance des peintures murales de CitéCréation à Lyon et dans le monde, et de MuraleCréation à Québec. C'est bien la réussite de ce passage de relais à d'autres générations de peintres qui pérennise la qualité de ce savoir-faire et permet de l'exporter sur toute la planète.

Les scènes soigneusement élaborées seront agrandies, à l'aide d'un rétroprojecteur, en atelier, directement sur les toiles à peindre, à la dimension voulue, et les traits redessinés. Ce procédé permet un gain de temps appréciable. Auparavant, tous les rapports à l'espace qui constituent la construction architecturale de la fresque auront été étudiés, pensés, calculés en termes de points de fuite, et par rapport au support existant. Comment tirer parti d'un mur qui a souffert au fil du temps, souvent mal cicatrisé, parfois percé de portes et fenêtres qu'il faut intégrer dans le dessin ? La fresque se construit. La peinture proprement dite, sur toile, peut commencer, scène par scène, à l'atelier. Cependant, la peinture murale nécessite des techniques de reproduction différentes de la peinture traditionnelle, tout simplement du fait de ses dimensions, du recul nécessaire à sa future visualisation. Si les traits sont droits et les contours trop définis, la fresque paraît figée. Les couleurs sont fondues, l'une dans l'autre comme dans la réalité. La palette des nuances est déterminante pour une harmonie de l'ensemble. La précision du détail anime la lecture de la fresque, jusqu'aux visages des personnages qui peuvent prendre les traits de personnes proches et chères aux muralistes. C'est devenu presque une tradition, dont les clés sont connues d'eux seuls.

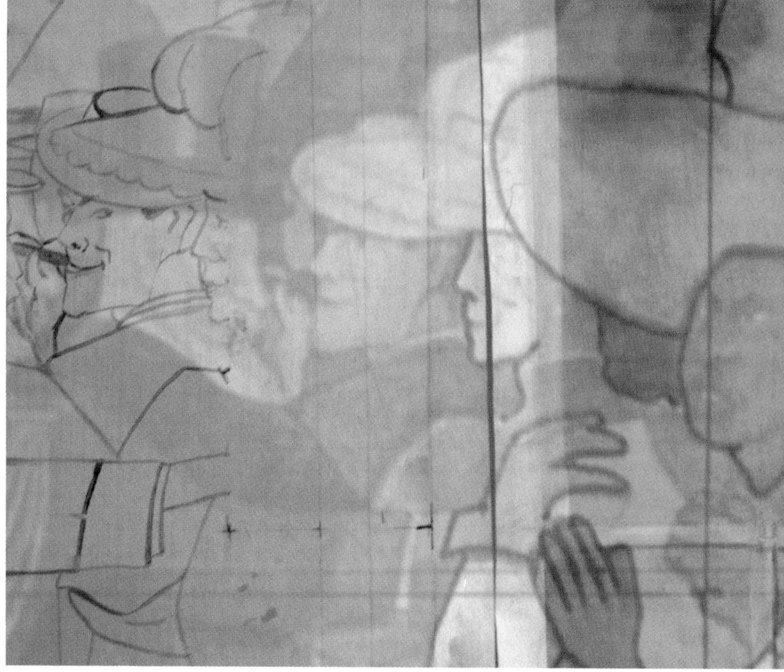

LA FORCE
de la
COOPERATION

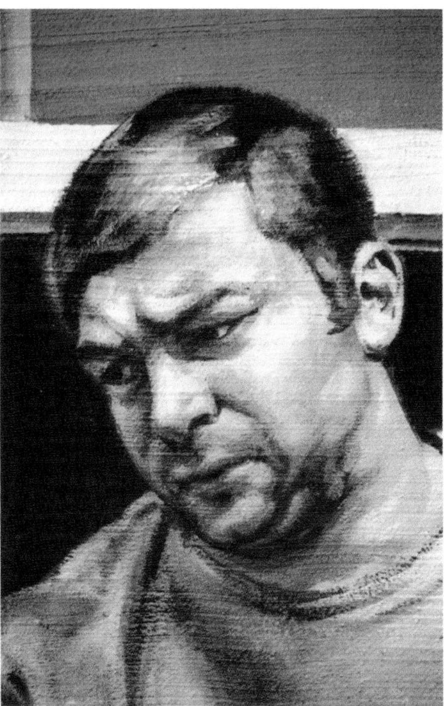

Du modèle vivant au tableau composé…

Une fois les toiles réalisées, il faut les poser sur le mur parfaitement remis en état, selon la technique du marouflage. Là encore, les jeunes en formation bénéficient de l'expérience des plus anciens. Les difficultés sont multiples et différentes selon les zones climatiques concernées. Il faudra bien tout l'art et le savoir-faire de l'équipe en place pour venir à bout de toutes les solutions à trouver, les grandes comme les petites...

La toile arrive soigneusement roulée. Il faut maintenant la coller, selon la technique du marouflage.

L'opération de marouflage, très technique, nécessite l'intervention de plusieurs peintres muralistes.

“ Du haut d’un échafaudage fixé au quinzième étage d’une banque populaire de Lyon, Joëlle Bonhomme décrit la formation de muraliste de son téléphone portable. C’est d’ailleurs la portion du métier qui l’anime le plus, le nez collé au mur à quelques dizaines de mètres du sol : « C’est là que tout se passe ! » Les artistes québécois formés à l’art de la fresque à Lyon reçoivent une formation d’apprenant, c’est-à-dire sur le chantier, en travaillant. « Il n’y a pas cinquante-six solutions, précise Joëlle Bonhomme, la formation sur le terrain n’a pas d’égal pour apprendre le métier. C’est en forgeant que l’on devient forgeron. C’est la vraie vie. C’est magique aussi, car on est dans la rue. »

À ce jour, plus de deux cents jeunes ont bénéficié d’une formation au métier de peintre muraliste par les équipes de CitéCréation, pour qui la transmission du savoir-faire est un principe de base. « C’est de cette manière que nous développons un lien solide avec le pays et ses artisans. Et c’est aussi un moyen de s’assurer de faire d’autres fresques par la suite. La transmission de notre expertise nous permet de prendre racine dans d’autres lieux. Parfois, la collaboration se poursuit longtemps, comme c’est le cas avec Québec ; parfois c’est du partenariat ponctuel. » Un mois, c’est le temps moyen accordé à la formation des nouvelles recrues. « C’est court, mais cela permet de balayer l’ensemble du métier, de A à Z. »

Enseigner le métier au pied du mur !

En trente ans de carrière, cette muraliste a essaimé son savoir-faire aux quatre coins du monde avec CitéCréation. Une multitude de rencontres ont jalonné sa route. « Les liens que l’on crée au travers d’une telle relation professionnelle sont puissants. Participer à la réalisation d’une fresque, c’est faire ensemble. L’aspect collectif est très important. Et les liens sont d’autant plus significatifs. »

« Le propre de la fresque, c’est le partage. La fresque conduit à la rencontre. Aucun artiste ne saurait accomplir cette tâche en solo. Elle requiert un travail préparatoire qui sollicite la collaboration de plusieurs spécialistes : historien, sociologue, architecte, géographe, archiviste, bibliothécaire, etc.
Elle est œuvre sociale.
Elle exige une incursion dans la communauté qui en sera l’hôte. Insidieusement, mais pour une noble cause, elle se fraie un chemin jusqu’au cœur de ses concepteurs, de ses réalisateurs et de ses hôtes. Elle s’ancre là où les souvenirs ont jadis trouvé refuge. Perspicace, elle renvoie naturellement à cet endroit, cette faille vulnérable, depuis lequel des bribes d’histoire pourront enfin être révélées au grand jour.
Elle est œuvre collective.
Elle se moque des ego tout comme des égoïstes. Elle n’a qu’une idée en tête : la renaissance d’une fierté réelle et bien vivante. Celle-là même qui inspire, qui donne le goût de s’investir dans sa propre vie, dans sa communauté.
Elle est fresque ! »

Joëlle Bonhomme,
artiste muraliste et cofondatrice de CitéCréation

Le programme ambitieux de la Commission de la capitale nationale du Québec

À partir de 1999, les projets de fresques de la Commission de la capitale nationale du Québec vont mettre en scène de nombreux artistes québécois de la peinture murale. Après la Fresque des Québécois, point de départ de l'aventure, la Fresque du Petit Champlain en 2001, celle de l'Hôtel-Dieu du Québec en 2003 et bien d'autres encore viendront enrichir, à un rythme régulier, un circuit touristique de grandes œuvres murales à caractère historique et ludique. Jusqu'à la Fresque du peuple Wendat en 2008, qui raconte l'histoire huronne-wendat, à Wendake, de manière magistrale.

Faire place à l'histoire. Tel est le leitmotiv de la Commission qui a mis en place un programme de réalisation de murs peints dans le but non seulement de redonner vie à des murs aveugles et peu esthétiques de la Communauté métropolitaine de Québec mais aussi de rappeler les dates historiques et les grands personnages de son histoire. Une quinzaine d'œuvres ont été initiées par la Commission à ce jour, qu'il s'agisse de projets spontanés, d'appels d'offre, de propositions de peintres muralistes ou encore de commandes spécifiques.

Artistes de l'Atelier de l'Emérillon

En marge des œuvres réalisées par MuraleCréation, et de la visibilité du travail accompli par Marie-Chantal Lachance et Nathaly Lessard, peu à peu se développe, grâce au soutien de la Commission de la capitale nationale du Québec, tout un réseau de peintres muralistes de talent, tous conscients du formidable tremplin que constitue la peinture murale pour défendre avec acharnement la culture québécoise. On retrouve Hélène Fleury à l'origine, en l'an 2000, des Fresques des Piliers, bientôt accompagnée de Pierre Laforest qui bénéficie de l'appui de la Maison Dauphine, rejoints par le groupe Zone-Art. Une dizaine de jeunes participeront au chantier, dans le cadre d'un programme d'insertion sociale. On y croise déjà Gitane Caron, que l'on suivra dans d'autres aventures picturales dont celles, titanesques, beaucoup, beaucoup plus loin, à Shanghai, avec CitéCréation... En 2005 à Beauport, ce sont les Maîtres Muralistes Canadiens (MMC), un regroupement d'artistes de Québec, qui interviennent. En 2006 à Lévis, Pierre Laforest et l'Atelier de l'Emérillon ont été sélectionnés pour mettre en scène une fresque panoramique sur le mur extérieur du gymnase du collège. Le Groupe Muraliste de Québec (Mélanie Guay, Caroline Verville, Gitane Caron) encadrera bientôt de jeunes talents dans la réalisation de la Fresque du Cap Rouge, en 2007. Mise en œuvre dans le cadre d'un partenariat liant la Commission scolaire des Découvreurs et la Commission de la capitale nationale du Québec, cette nouvelle réalisation s'inscrit encore dans l'imposant programme amorcé en 1998 par la Fresque des Québécois, et poursuivi depuis à Québec comme à Lévis, enrichissant l'offre touristique de la capitale.

L'élan impulsé n'en finit plus d'essaimer. S'approprier cette nouvelle expertise et l'adapter aux impératifs québécois fut la première étape, fondamentale… Appréhender les lieux, les gens, les habitudes de vie, le climat, analyser les composantes, monter, développer et réaliser des projets qui collent à la peau des Québécois. Telle est la mission d'Hélène Jean, Chargée de projets au sein de la Commission. En véritable chef d'orchestre, elle prône le travail d'équipe, dans un esprit d'humilité et d'ouverture. Avec les peintres muralistes québécois, elle valide les analyses des comités thématiques, les impératifs et les souhaits des partenaires financiers. Au fil des projets, un va-et-vient continu s'institue entre les deux continents. Ils seront douze à bénéficier tour à tour d'une formation complète à Lyon, devenue capitale des murs peints, auprès de CitéCréation, qui met tout en œuvre pour que l'échange soit productif, qualitatif, riche de sensations multiples.

Annie Hamel

Véronique Asselin

Gitane Caron

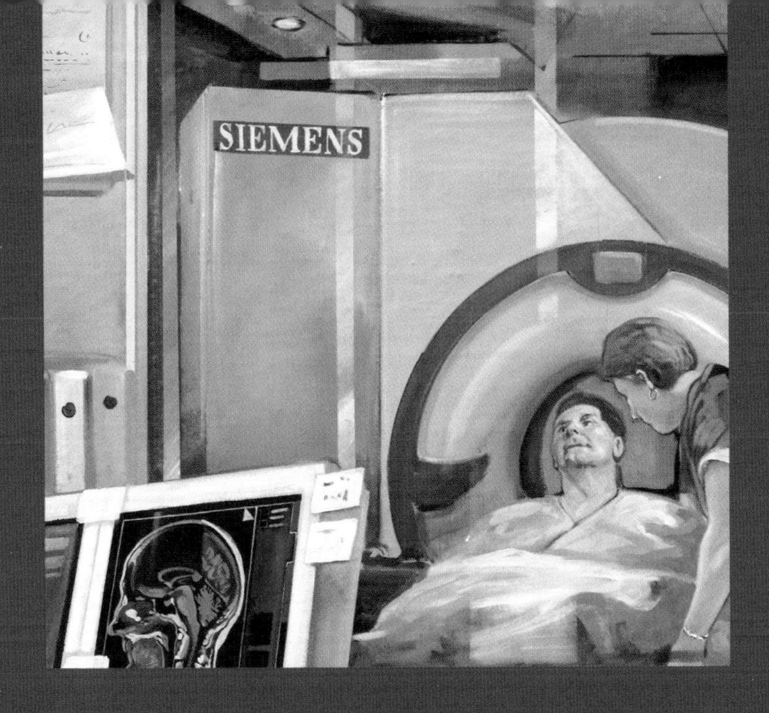

Les partenaires... Regardez bien, ils sont toujours cités dans la signature de chacune des fresques. Leur discrétion n'a d'égale que l'absolue nécessité de leur présence dans le processus : sans eux rien ne serait possible... Il faut aller à leur rencontre, cogner aux portes, argumenter... La quête est fastidieuse mais l'aventure est riche d'échanges. Peintres muralistes et donneurs d'ouvrage les accompagnent dans leur rôle, identifient avec eux les valeurs culturelles de l'entreprise, sa visibilité dans chaque nouveau projet. Certains sont fidèles, depuis le début, au programme de la Commission de la capitale nationale, et ont ainsi œuvré à la réussite de ce parcours exceptionnel : la Caisse populaire Desjardins, les peintures Laurentide. Présents dans les fresques (cherchez les détails qui les signalent...), ils le sont aussi en amont, en complète association dès la constitution du projet.

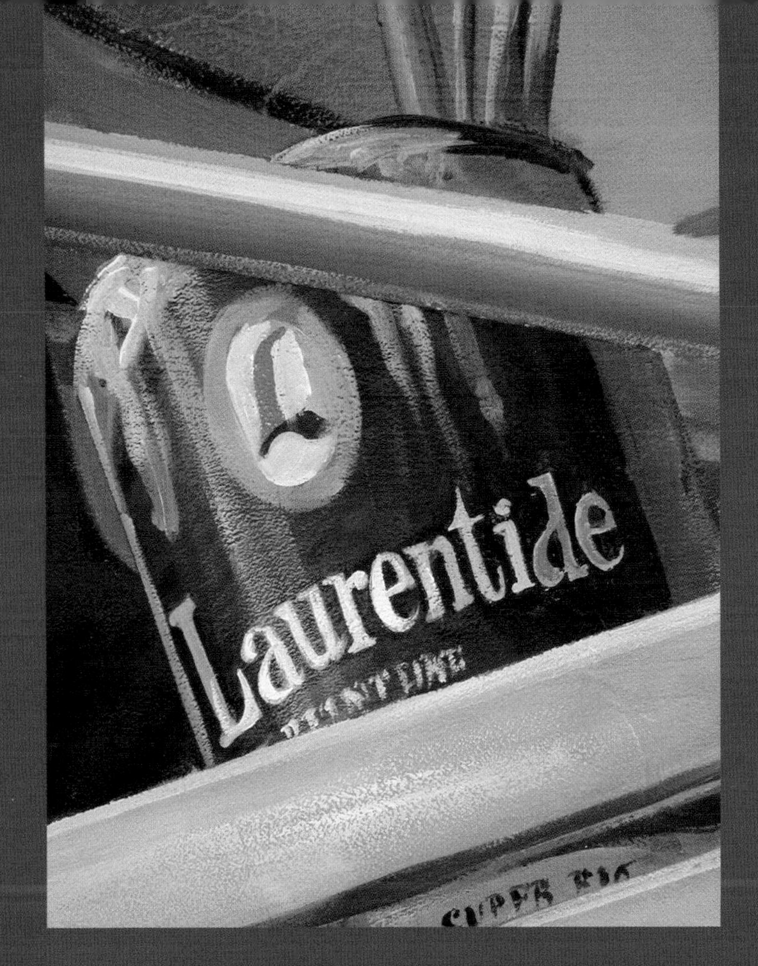

En 2008, le 400e anniversaire de la fondation de la ville de Québec et la longue tradition d'amitié et d'échanges entre Rhône-Alpes et Québec vont permettre à la Région Rhône-Alpes de s'associer pleinement à deux projets de fresques soutenus par la Commission, couronnant ainsi 10 ans d'accompagnement au programme mis en place depuis la Fresque des Québécois. Pour la réalisation de la Fresque du peuple wendat, à Wendake, deux artistes huronnes-wendat, Manon Sioui et Francine Picard, seront accueillies à Lyon pour une formation en peinture murale monumentale auprès de CitéCréation, et seront associées à la mise en peinture de l'œuvre. Elles représenteront l'âme de la nation huronne dans ce projet hors-norme réalisé par MuraleCréation, symbolisant le passage du peuple wendat de la tradition à la réalité contemporaine. Parallèlement, à Lyon, la Région Rhône-Alpes est partenaire de CitéCréation pour la Fresque de la Cité Idéale de Québec, accompagnée par la Commission de la capitale nationale qui, pour l'occasion, a lancé à Québec un concours de bédéistes chargés de traiter le thème. Jean-Paul Eid sera choisi, et sa cité idéale de Québec peinte sur le mur du lycée Auguste-et-Louis-Lumière à Lyon, dans un festival de couleurs. Francine Picard et Manon Sioui y jouent une nouvelle fois le rôle de passerelles, entre Québec et Lyon. Tout comme les centaines de visiteurs qui traversent l'Atlantique pour découvrir les fresques de Québec ou de Lyon dans un mouvement continu d'échanges touristiques et culturels.

La boucle est bouclée... Ainsi s'écrit de jour en jour la belle histoire des murs peints de Québec, de ces murs qui murmurent, de ces murs qui témoignent, de ces murs qui parlent aussi de toutes celles et ceux qui œuvrent pour que la mémoire des peuples ou des villes ne s'efface pas. L'élan ne s'arrêtera pas là. La légende est en marche...

Francine et Manon sur la Fresque de Wendake

10 années de fresques murales à Québec

La Fresque des Québécois

Parc de La Cetière, rue Notre-Dame, Place-Royale, Québec, 420 m², 1999.

Première d'une longue série de peintures murales québécoises, cette fresque en trompe-l'œil, qui s'offre au premier regard comme une vue de Québec, intègre méthodiquement nombre de caractères spécifiques à la capitale. Prenant appui sur les travaux d'un comité d'experts parmi lesquels Henri Dorion et Jean Provencher, les artistes ont conçu le mur peint de manière à reconnaître la ville par le biais de son architecture, de sa géographie, de ses fortifications comme de ses escaliers. L'œuvre évoque en contrepoint le rythme des saisons qui confèrent à la ville les couleurs changeantes, que le visiteur venant de loin aime à découvrir.

Dans ce cadre, où l'on reconnaît la porte Saint-Jean, les maisons de Place-Royale, les escaliers « casse-cous » de la haute-ville, ont été mis en scène sous forme d'hommage une quinzaine de personnages, hommes et femmes, dont le labeur et le génie ont établi les fondations du Québec d'aujourd'hui, un héritage culturel de plus de quatre siècles : de Jacques Cartier à Félix Leclerc, on reconnaît Louis de Buade comte de Frontenac, Louis-Joseph Papineau, Lord Dufferin, Alphonse Desjardins, Marie Guyart mais aussi Thaïs Lacoste-Frémont, François-Xavier Garneau, Samuel de Champlain, Louis Jolliet, Jean Talon, François de Laval, Catherine de Longpré, Marie Mallet et Marie Fitzbach.

Dans la vitrine de la librairie d'Octave Crémazie sont évoqués les auteurs d'origine québécoise Félix-Antoine Savard, Gabrielle Roy, Paul-Emile Borduas, Gaston Miron et bien d'autres, sur la tranche des livres reproduits, autant de détails dans lesquels il faut se plonger avec délectation. La petite histoire raconte que Thaïs Lacoste-Frémont, militante pour le droit de vote des femmes, fut ajoutée au projet initial pour une meilleure représentation de l'élément féminin. Et puis, dans un souci de retour d'image, la Commission de la capitale nationale du Québec et la Société de développement des entreprises culturelles du Québec (SODEC), producteurs de la peinture murale, ont pignon sur rue, en bas de la fresque, où ils présentent et exposent leurs productions.

Les strates superposées de la mémoire forment l'identité d'un lieu. Ce trompe-l'œil en est l'éclatante application. Devenu symbole et de notoriété mondiale, il séduit tous les amoureux de la ville de Québec, dont la halte au pied du mur peint est un des premiers actes de visite.

Conception, réalisation : CitéCréation, Lyon.
Ont participé à la réalisation : Marie-Chantal Lachance, Hélène Fleury, Pierre Laforest, artistes québécois.
Production : Commission de la capitale nationale du Québec et Société de développement des entreprises culturelles du Québec (SODEC)

Bibliographie :

La Fresque des Québécois,
Vincent Desautels, CCNQ et SODEC, 1999.

Découvrir la capitale nationale
Sodec

Jacques Cartier
Jean Talon

« Pour Pierre Labrie, sur le plan touristique, il faut considérer les fresques comme un apport incontournable qui surprend les gens venus découvrir Québec. « Les touristes qui ont l'occasion de voir les fresques de la ville ont une expérience touristique enrichie. C'est un souvenir unique qu'ils rapportent dans leurs bagages. »

Des souvenirs de voyage uniques !

Visitée par plus de deux millions de personnes annuellement, la Fresque des Québécois est devenue une icône des plus photographiées. « Dans la mesure où il existe de l'information sur les fresques, celle-ci est systématiquement intégrée aux publications de l'OTCQ ainsi qu'aux circuits et aux guides touristiques visant à faire valoir Québec. Cette forme d'art public fait de plus en plus partie du paysage et du patrimoine de Québec. » Pierre Labrie insiste : « La Commission de la capitale nationale du Québec a réalisé deux grandes choses : l'aménagement de grandes places publiques et les fresques. Les gens peuvent y déambuler et s'y rencontrer. En dix ou quinze ans, ces chantiers ont changé le visage de la ville. Québec ne vieillit pas ; elle s'embellit ! »

Pierre Labrie,
directeur général de l'Office du tourisme
et des congrès de Québec de 1992 à 2009

SOCIÉTÉ DE DÉVELOPPEMENT
DES ENTREPRISES CULTURELLES
SODEC
Québec
Confessionnal

La Fresque du Petit-Champlain

102-106, rue du Petit-Champlain, Québec, 100 m², 2001.

Le Petit-Champlain est le plus ancien quartier commercial d'Amérique du Nord. C'est sur le mur latéral sans âme d'une belle maison de trois niveaux au toit en carène de navire renversé qu'a été créé ce trompe-l'œil qui illustre les grandes étapes de la vie du Cap-Blanc, quartier populaire et portuaire de Québec. Cette forme architecturale de toiture inventée au XVIe siècle par l'architecte lyonnais Philibert De l'Orme a donné, en coupe, la surface idéale... avec habileté, les peintres de MuraleCréation en ont tiré parti. La charpente à ciel ouvert, dans les vastes combles, et les menuisiers qui s'affairent en tirant la corde d'un palan ou à califourchon sur la potence attirent l'œil, d'emblée, tout là-haut. « La force de la coopération » dit un petit panneau, clin d'œil à ce qui unit les Québécois, c'est aussi la devise de la Caisse populaire, partenaire de la fresque. Des symboles, il y en a bien-sûr dans l'image familière du coffre, au grenier, coffre à jouets des enfants qui s'amusent à côté, mais aussi coffre des immigrants, coffre aux trésors des pirates qui écumaient les mers... Cette femme inquiète au visage trempé, qui guette le retour de son marin, ces voiles, ces cordages... Cap-Blanc est un port, on ne peut l'oublier. En juillet 1759, le danger est venu de la mer, d'une flotte de quelque 150 vaisseaux et 40 000 hommes. Québec est bombardée deux mois durant par les Anglais, la ville n'est qu'un champ de ruines... les maisons déchiquetées.

Et puis, on se dit qu'il faut mettre de l'ordre dans le foisonnement des images reçues, alors les yeux se posent au rez-de-chaussée, et de nouveau amarres, gouvernail, ancre, coque en construction et calfat, plans de goélettes, sculpteur de figures de proue font référence à la marine, placée sous le rayonnement du Bon père Frédéric (captez son regard... il a été béatifié). Celui-ci apporte son réconfort aux 28 familles touchées par le terrible éboulement qui ensevelit la rue Champlain en septembre 1889.

À l'étage, derrière la scène principale de droite d'une femme rappelant à l'ordre son mari venu dépenser sa paye à l'auberge, on reconnaît Edmund B. O'Callaghan, médecin et homme politique irlandais, le capitaine Bernier, navigateur, et Thom LeVallée, propriétaire du Neptune Inn, auberge renommée dont l'enseigne est reproduite sur le mur. À gauche, une mère de famille en mouvement et des enfants, l'un, rouquin, jouant avec son hurley (crosse du hurling, jeu d'origine irlandaise), l'autre, fillette brune aux traits amérindiens, avec sa poupée. Des symboles, toujours... À la fenêtre ? Jos Montferrand, « l'homme le plus fort du monde », grand défenseur des opprimés, figure légendaire. Il inspira Gilles Vigneault... Le couple qui s'enlace ? Encore une histoire de cœur : Lord Nelson tombé en amour avec une Québécoise et ramené contre son gré sur son bateau par ses marins...

Le mur frémit de mille vibrations, bruisse de mille références, vit de mille détails, avec cette puissance d'évocation qui laisse l'émotion filtrer, à fleur de mur.

Conception et réalisation : MuraleCréation.
Production : Commission de la capitale nationale du Québec,
Coopérative des artisans et commerçants du quartier du Petit-Champlain,
Caisse populaire Desjardins.

NEPTUNE
INN

La Fresque
du Petit-Champlain
LA CAPITALE NATIONALE
Québec
MURALE CREATION
Québec
www.muralecreation.com
418.694.0000

Les Fresques des Piliers

Boulevard Charest Est - rue St-Joseph, Saint-Roch. Québec, 2000-2002.

Ces fresques de la ville de Québec ont été entreprises à partir de l'été 2000 à l'instigation d'Hélène Fleury, Pierre Laforêt venant la seconder. Après avoir reçu une formation complémentaire pour les peintures murales, à Lyon, tous deux avaient participé un an auparavant à la réalisation de La Fresque des Québécois, dirigés par CitéCréation. Croisant le boulevard Charest Est dans la Basse-ville de Québec, les très vilains piliers de béton soutenant le pont de l'autoroute Dufferin ont été transformés, avec un objectif de réinsertion sociale par la pratique de l'art, par des équipes de jeunes peintres.
Images quelque peu surréalistes que ces piliers décorés partant à l'assaut de l'autoroute. Les fresques ont permis d'élargir les possibilités de support consacré à la peinture murale, tout en constituant un terrain de recherche artistique qu'elles ont peu à peu contribué à devenir îlot dédié à l'art... d'autant qu'un jardin prenait naissance au cœur du quadrilatère formé par les piliers. Au point que l'ensemble est devenu l'exemple-type de l'embellissement que peuvent apporter peintures murales et regard neuf dans un secteur urbain rendu peu esthétique !

- La Cathédrale (© Hélène Fleury, 2000)
- Le Conte (© Hélène Fleury, Denis Jacques et Pierre Laforest, 2001)
- L'Horloge (© Zone-Art, 2001)
- Hommage aux cirques québécois et Le Temple multiculturel (© Zone-Art, 2002)

Production : Commission de la capitale nationale de Québec (depuis 2001),
avec le ministère des Transports du Québec, la Ville de Québec,
le ministère de la Culture, des Communications et de la Condition féminine du Québec,
les Échafaudages Falardeau, Peinture Laurentide et GM Développement.

L'art de la réinsertion

Quand Jean-Paul L'Allier découvre les fresques de Lyon, à l'occasion d'une des éditions des Entretiens Jacques-Cartier, il est impressionné. Par l'art de la fresque lui-même. « Il est frappant de constater que d'un mur ingrat on puisse arriver à une œuvre absolument magnifique. » Mais au-delà des aspects esthétiques et grandioses qui caractérisent cette forme d'art public, l'instinct aiguisé du maire de Québec est stimulé par le potentiel social que recèle cet outil culturel.

« Lorsque le projet des Fresques des piliers a été soumis à la Ville, Québec était en pleine effervescence, notamment pour la réhabilitation du quartier Saint-Roch. Et nous avions plein de murs ingrats ou encore tapissés de graffitis. Les intervenants qui s'occupaient des jeunes dans la rue connaissaient les graffiteurs. »

Une équipe d'une dizaine de jeunes âgés de seize à vingt ans a été formée, appuyée par la Maison Dauphine (organisme venant en aide aux jeunes de la rue), et agissant sous la direction artistique d'Hélène Fleury, artiste muraliste qui a appris son métier sur le chantier de la Fresque des Québécois. « L'objectif conjuguait les aspects social et culturel. Les Fresques des Piliers offraient à des jeunes talentueux, jusque-là obligés de s'exprimer de manière non permise dans la ville, l'occasion de réaliser leur création dans un cadre permis et financé en partie par la Ville. »

Jean-Paul L'Allier,
maire de Québec de 1985 à 2005

La Fresque de la Bibliothèque Lauréat-Vallière

Chemin du Fleuve, Chutes-de-la-Chaudière-Est, Lévis, 120 m^2, 2002.

Habillant deux murs à angle droit du bâtiment de la bibliothèque Lauréat-Vallière, située non loin de l'hôtel-de-ville de Lévis, cette fresque organisée en rayonnages, raconte l'histoire et la vie culturelle de l'arrondissement des Chutes-de-la-Chaudière-Est. Y sont évoqués, imbriqués dans une heureuse orchestration, outre la création littéraire et la lecture, le commerce du bois, le « cheval de fer », le siège de 1759, la présence amérindienne, le pont de Québec, l'activité sur le fleuve Saint-Laurent, en été comme en hiver. Une place de choix est aussi réservée à Lauréat-Vallière (1888-1973), sculpteur ornemental né à Lévis.
Cette fresque en trompe-l'œil est une des premières d'un parcours culturel et mémoriel créé de 2000 à 2008, à l'initiative de la Commission de la capitale nationale du Québec, sur Lévis et Québec.

Conception et réalisation : MuraleCréation
Production : Commission de la capitale nationale du Québec, Ville de Lévis, Lauréat-Pépin Inc., Peintures Laurentide.

VAL DE FER
LES BARONS DU BOIS

La Fresque de la Bibliothèque Gabrielle-Roy

Rue du Roi, La Cité, Québec. 600m², 2003.

Sur ce mur, les livres ont pris la parole. Ils ne la quitteront plus. Deuxième mur peint créé à l'instigation de la Commission de la capitale nationale du Québec dans le cadre de l'élaboration d'un parcours culturel et mémoriel sur les villes de Lévis et Québec, cette fresque en trompe-l'œil s'appuie sur les faits marquants de la littérature et de l'histoire des bibliothèques publiques de la ville de Québec du XIXe et du XXe siècle. Célébrant 20 années d'existence de la bibliothèque Gabrielle-Roy, une farandole de 20 citations décrivant la ville glisse comme un fleuve sur le mur de briques. Extraites d'œuvres littéraires, sélectionnées à la suite d'un concours populaire organisé par l'Institut canadien de Québec, ces phrases orchestrent la musique des mots, l'attachement à Québec, d'Arthur Buies à Charles Trenet, et d'André Marceau à Gilles Vigneault. Assoupis entre les pages, les mots n'attendent que le regard qui se pose. Magie des mots. Pouvoir des mots...

Conception et réalisation : MuraleCréation.
Production : Commission de la capitale nationale du Québec, Ville de Québec, Institut canadien de Québec, Centrale des syndicats du Québec, Fédération des syndicats de l'enseignement, Peintures Laurentide.

ALIRE
L'INSTANT MÊME
LES PRESSES DE L'UNIVERSITÉ LAVAL
SEPTENTRION
ANNIE SIGIER
DANS LE BON VIEUX TEMPS, C'ÉTAIT COMME ÇA...
LE GRIFFON D'ARGILE

QUÉBEC

Québec, dans la neige.
A l'air de Venise
En produit surgelé

Accueil
Aide au lecteurs
et lectrices
Artothèque
Audiovisuel
Auditorium
Centre d'exposition
et Galerie
Bédéthèque
Informatique
Place des enfants
Référence
Revues et journaux
trangers
Québec veut y mourir
Arth

on fête Noël à la manière française.
À Québec, dans leur chapelle les Ursulines élèvent une crèche,
entourée de sapins, au grand étonnement des Hurons.
MAIS DONNANT
FRANCHIR L'ARCHE
BAIGNÉE D'UN DEMI-JOUR BIEN
OU BIEN MONTER JUSQU'À SAINT-DENIS
REFLÉTÉE PAR LA VERDURE DE LA CITA
ÉTAIT PLUS CLAIRE QU'AILLEURS.
Jacques Poulin
Québec s'illumine doucement.
Le froid perce mes vêtements.
Je saute sur place un moment, lorgne du côté de l'île d'Orléans à la recherche des premiers ra
Une brume épaisse flotte sur la baie de Beauport, un filet de fumée qui s'empourpre légèrement.
Le soleil pointe enfin, dessinant des rais de lumière sur le flanc des montagnes.
Alain Beaulieu
s secrets.
crets de sa beauté. (...)
ville d'art et d'histoire.
Une ville sans pareille.
Louis-Guy Lemieux
LA FRESQUE
DE LA BIBLIOTHÈQUE
GABRIELLE-ROY
MURALE CRÉATION

Ce n'est plus la ville de guerre, c'est la ville de lumière, la ville astrale,
et ses pléiades d'étoiles sont groupées de façon
qu'elles la dessinent tout entière dans les formes altières de sa beauté.
Adolphe-Basile Routhier
VIRÈRENT AU ROSE
UR MAUVE CRÉPUSCULAIRE.
Rudyard Kipling
of this continent,
flock

La Fresque de l'Hôtel-Dieu de Québec

Angle rue Charlevoix et côte du Palais. Québec. 420 m², 2003.

Le mur avant...

Fresque en trompe-l'œil sur les murs extérieurs du pavillon de l'Enseignement de l'Hôtel-Dieu de Québec, plus ancien hôpital d'Amérique du Nord, établi en 1639 par les Augustines hospitalières venues de Dieppe. Ce lieu chargé d'histoire déroule 350 années de progrès de la science médicale sur six bâtiments reconstitués présentant autant d'époques différentes. Pour commencer l'histoire, un hommage à la bienfaitrice Marie-Madeleine de Vignerot, marquise de Combalet, duchesse d'Aiguillon (1604-1675), sur une plaque de bronze aux armoiries des Augustines. Le premier bâtiment raconte l'hôpital des XVIIe-XVIIIe siècles. Catherine de Saint-Augustin, béatifiée, est aux côtés de Jeanne-Françoise Juchereau de Saint-Ignace, première supérieure d'origine canadienne. Mais aussi Michel Sarrazin, chirurgien, homme de science, qui présente un pot de sarracénie pourpre. L'officier anglais qui examine une représentation de la ville s'appuie sur un coffre historique, conservé au musée de la communauté. Sur le second bâtiment, la montée en puissance de l'hôpital au XIXe siècle, symbolisée par la poignée de main d'une religieuse et de l'abbé Louis-Jacques Casault, recteur de l'Université. Le docteur James Arthur Sewell, doyen de la faculté de Médecine, est au chevet d'un malade. L'accumulation des détails force l'admiration, nourrit la mémoire. Tous sont placés dans un contexte historique, de l'augustine qui materne un bébé à celle qui s'occupe d'une malade dans une chaise roulante, jusqu'à l'examen de la gorge d'un adolescent qui rappelle que l'hôpital accueillit l'oto-rhino-laryngologie dès 1885.

La naissance de l'hôpital moderne est traitée sur le troisième bâtiment dans les baies et la porte du dispensaire du Pavillon d'Aiguillon à l'appareil de pierres bosselées et de pierres de taille. Sous le regard du docteur Arthur Rousseau, chef du service de médecine de l'Hôtel-Dieu, doyen de la faculté, évocation des premiers pas de la radiologie en 1901, des découvertes de l'ère pastorienne. Le docteur Michael Joseph Ahern, à qui l'on doit l'adoption de l'antisepsie dès 1885, opère au rez-de-chaussée. Chaque détail a son importance.

Dans le pavillon d'angle, les métamorphoses de l'hôpital, les avancées de la science durant les années 1930-1960 : la lutte contre le cancer, les campagnes pour le don d'organe, les premiers électrocardiogrammes... Le docteur Armand Frappier au rez-de-chaussée, penché sur son microscope, est une figure emblématique de la recherche au Québec, pionnier de la lutte antituberculeuse. Même la fillette à la robe bleu porte un message : son ballon symbolise la recherche génétique. La préoccupation de la précision du détail rend la lecture du mur fascinante. Toujours...

Et puis, dernier tableau, l'hôpital d'aujourd'hui. Le mur habillé de briques et la grande baie rappellent l'ancienne utilisation du lieu par le théâtre Victoria. Des personnages réels entrent dans la fresque ou en sortent, par la porte. Illusion, ambiguïté... C'est le mur de l'espoir, l'espoir de la guérison, du geste sûr et humain dans un environnement où le dévouement et la qualité des soins reçus accompagnent les avancées médicales les plus sophistiquées.

Cette œuvre, réalisée à l'initiative de l'Hôtel-Dieu de Québec (Centre Hospitalier Universitaire de Québec-CHUQ), a largement utilisé la technique du marouflage. Elle a bénéficié de l'apport d'un Comité scientifique regroupant les meilleurs spécialistes de l'histoire de l'hôpital et de la ville de Québec.

Conception et réalisation : MuraleCréation
Production : Commission de la capitale nationale du Québec,
Laboratoires et produits pharmaceutiques Hoffmann-Laroche/Roche, Siemens et Gambro.

Bibliographie : *La Fresque de l'Hôtel-Dieu de Québec*, François Rousseau, CCNQ, 2004.

DISPENSAIRE

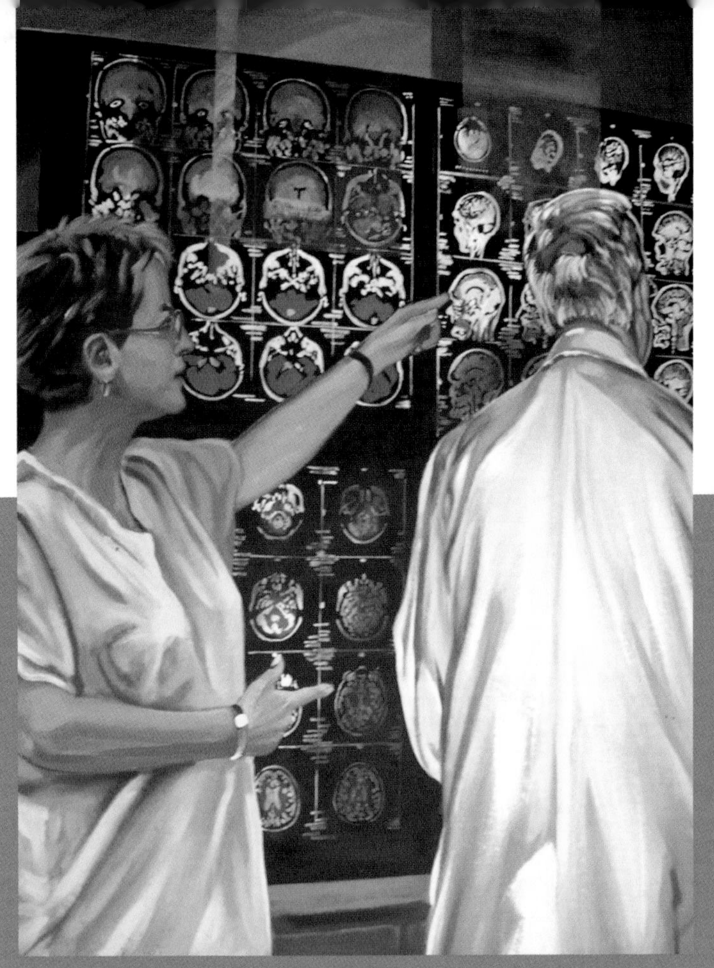

Roche
Diagnostics
SALLE DE CONFÉRENCE

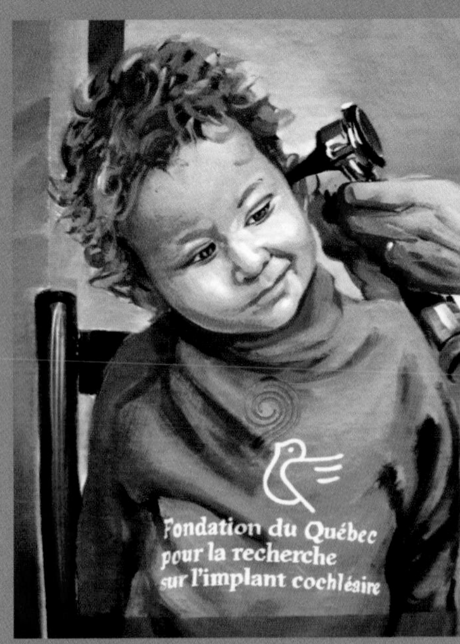
Fondation du Québec
pour la recherche
sur l'implant cochléaire

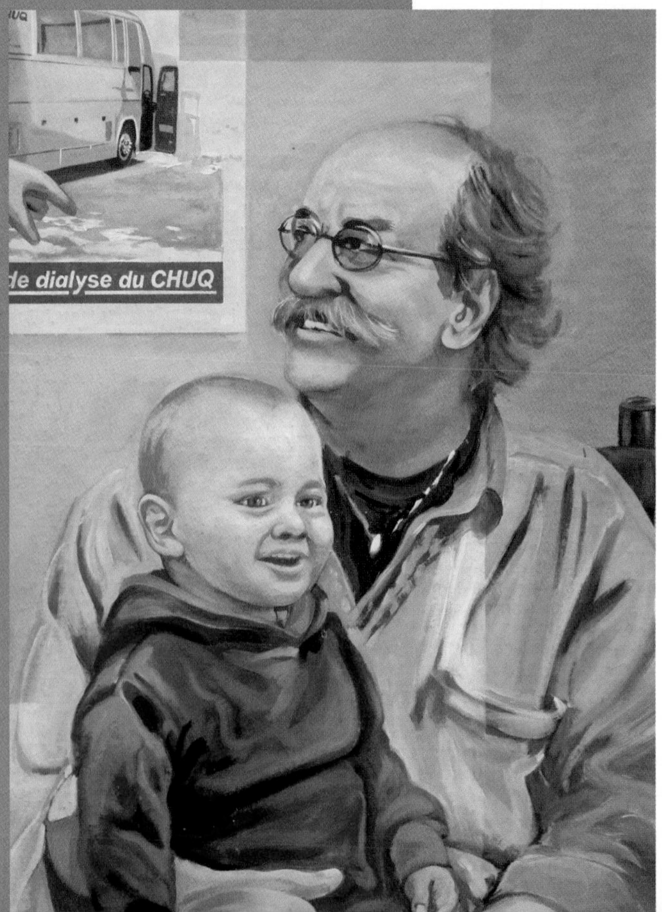
de dialyse du CHUQ

1825 - 1892
UN HÔPITAL EN GESTATION

JOURNAL DES SAVANTS

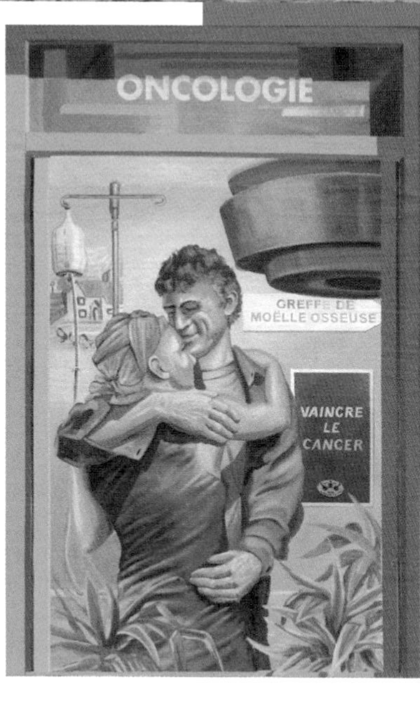
ONCOLOGIE
GREFFE DE MOËLLE OSSEUSE
VAINCRE LE CANCER

La Fresque du Centre Horizon

Angle 4e Rue et boulevard des Capucins, Limoilou, Québec, 420 m², 2004.

Jacques Cartier passa l'hiver de 1535 sur la rive nord de la rivière Saint-Charles, en ces lieux que les pères missionnaires jésuites développèrent à partir de 1625. Les villages établis deviennent municipalité de Limoilou en 1893, quartier de Québec en 1909, arrondissement en 2002. Construite en 1948, la salle paroissiale qui accueille la fresque abritait les animations socio-culturelles de la communauté de Saint-Charles. Par le biais d'une mise en scène évoquant le théâtre, le mur peint (dans le même esprit que la Fresque de Vienne, au sud de Lyon) évoque, sur deux saisons et sur le thème des Festivités, les événements historiques, la rencontre des cultures européennes et amérindiennes, les activités, la rivière, les maisons de briques ornées d'escaliers et de galeries, originalités architecturales du quartier, les personnages marquants de cette communauté dont le nom rappelle celui du manoir de Jacques Cartier, près de Saint-Malo, en Bretagne.

Le mur avant...

Conception et réalisation : MuraleCréation
Production : Commission de la capitale nationale du Québec, Ville de Québec, Caisse populaire Desjardins, Centre Horizon, Alex Coulombe Ltée/Pepsi, Centrale des Syndicats démocratiques (CSD), Peintures Laurentide.

La Fresque du Centre Horizon, détail.

La Fresque Nous, le Monde Ordinaire

1600, 8e avenue, Limoilou, Québec, 220 m², 2004.

Cette fresque éclatante de vie et de couleurs a été réalisée sur le mur aveugle du gymnase du centre communautaire Ferland. Douze jeunes adultes, six femmes et six hommes domiciliés à Québec, sous la supervision de trois formatrices du Centre Jacques-Cartier, y ont travaillé pendant 15 semaines. La réalisation de ce mur peint en trompe-l'œil s'est faite grâce à un programme appelé « Chantier urbain de Limoilou », qui a favorisé l'intégration de six personnes immigrantes à la communauté.

On y retrouve les principes identitaires d'évocation des lieux, des activités, des principes architecturaux du quartier de Limoilou traités de belle manière dans une technique maîtrisée de la peinture murale s'appuyant sur la multiplication des détails à débusquer pour mieux appréhender l'ensemble.

Les principaux partenaires associés au projet sont : la Ville de Québec, Emploi-Québec, le Centre de ressources humaines Canada, le Fonds Jeunesse Québec, le Forum Jeunesse de la région de Québec, le Carrefour jeunesse emploi de la capitale nationale, le Centre Jacques-Cartier, le Centre local d'emploi de Limoilou (CLE), le Centre R.I.R.E. 2000, la Caisse populaire de Limoilou, le Centre local de développement de Québec, la Commission de la capitale nationale du Québec.

La Fresque Desjardins de Beauport

580, avenue Royale, Beauport, Québec, 78 m^2, 2005.

Cette exposition de peinture à ciel ouvert sur le manoir et les chutes de Montmorency et animée par les oies blanches des battures de Beauport est intitulée « La Galerie du Temps ». Sur le thème de « Beauport, histoire et culture », le trompe l'œil réalisé sur la façade extérieure de la maison Rainville offre aux passants une page de lecture peu banale des faits marquants de l'histoire du lieu sous la forme d'une série de tableaux évoquant les faits et personnalités qui ont contribué à bâtir Beauport depuis sa fondation en 1634. Elément central de la fresque, la scène des ouvriers manipulant une toile représente la première caisse Desjardins de Beauport, sur l'avenue Royale, la « route de la Nouvelle-France », une des plus vieilles artères de l'Amérique du Nord. Une simple promenade suffit, dit-on, pour tomber en amour avec l'avenue Royale et ses trésors, la Galerie du Temps de la fresque de Beauport en est le joyau incontournable. Ce mur peint s'inscrit dans le parcours culturel et mémoriel sur les villes de Lévis et Québec mis en place à l'instigation de la Commission de la capitale nationale du Québec.

Conception et réalisation : Maîtres Muralistes Canadiens (MMC)
Production : Commission de la Capitale nationale du Québec, Ville de Québec, Caisse populaire Desjardins de Beauport.

Fresque Desjardins de Lévis

9, rue Monseigneur Gosselin, Desjardins, Lévis, 470 m², 2006.

Réalisée sur le mur ouest du gymnase du Collège de Lévis, au cœur de l'arrondissement historique de Desjardins, cette fresque murale au thème intitulé « Le passage » (le passage du temps, des saisons, du bois, la côte de passage) s'articule géographiquement autour du fleuve Saint-Laurent représenté ainsi comme le trait d'union et non plus l'obstacle aux réussites de l'agglomération de Québec. Son contenu historique est le fruit du travail d'un comité scientifique composé de membres de la Société historique de Lévis, de la Société historique Desjardins, d'historiens de Lévis, d'une architecte ainsi que de représentants du Service des arts et de la culture de la Ville de Lévis. Elle raconte en images la très riche histoire de Lévis, de l'époque de la seigneurie de Lauzon jusqu'à aujourd'hui.

Si la lecture horizontale de l'œuvre permet de retrouver les grandes institutions de la rive sud, la lecture verticale des scènes rappelle les activités et les personnages qui en ont marqué l'histoire. Le respect de la topographie, sur laquelle s'impose l'apparition, dans l'ordre chronologique et d'est en ouest (de gauche à droite lorsqu'on regarde la fresque), des différents thèmes et personnages, constitue un défi que les artistes ont relevé avec panache. L'histoire se déroule sous la forme de scènes historiques et imaginatives traitées avec rigueur mais aussi fantaisie et poésie.

Cette fresque en trompe-l'œil a été réalisée selon la technique des poncifs : plus de 200 calques et sept semaines d'un travail de fourmi, effectué directement sur le mur, auront été nécessaires, un record pour une fresque québécoise ! Les différents personnages de la fresque s'inspirent de modèles vivants qui ont accepté de poser pour chacun des portraits.

Conception et réalisation : Atelier de L'Émérillon
(MM. Marius Dubois, Pierre Laforest, Pierre Lussier et Jean-Claude Légaré)
Production : Commission de la capitale nationale du Québec,
la Ville de Lévis, la Caisse populaire Desjardins de Lévis
et le Collège de Lévis.

“Outre une formation de six mois à Florence, en Italie, Pierre Laforest ne connaît que le travail en solo au moment où il intègre le trio québécois formé à l'art de la fresque en 1999. L'art figuratif est la spécialité de cet artiste peintre indépendant. « Ce fut une expérience exigeante, physiquement et mentalement, mais que j'ai reçue avant tout comme un cadeau. La Fresque des Québécois a tout lancé. C'est une étape charnière de ma carrière qui a marqué le début d'une période qui dure depuis dix ans. »

L'art de la découverte

Connaissant déjà les techniques de la peinture, Pierre Laforest dit avoir assimilé rapidement les diverses techniques tout en étant conscient que le seul fait d'être artiste peintre ne permet pas de devenir un bon muraliste « L'art de la fresque nécessite la maîtrise de techniques précises. Il faut travailler vite. Cet aspect m'allait bien, car j'aime peindre rapidement. » Une fois le choc de la première expérience passé, Pierre souhaite approfondir le métier. « Avec la fresque, j'avais découvert que je pouvais peindre en grand, peindre en étant rémunéré, et peindre tout en évitant les aspects plus lourds liés au métier d'artiste peintre, comme les expositions à organiser et les ventes à mousser. » De plus, une facette inconnue de sa personnalité s'est dévoilée : « Je découvrais le besoin et l'envie de travailler avec d'autres gens. »

Les projets auxquels Pierre Laforest participe comme muraliste s'enchaînent : les Fresques des piliers, celle du Petit Champlain, la Fresque de l'Hôtel Dieu de Québec, la Fresque de la bibliothèque Gabrielle-Roy, la Fresque du Centre Horizon. La peinture murale lui inspirant le plus de fierté est la Fresque Desjardins de Lévis réalisée par un regroupement d'artistes expérimentés de Québec et de Lévis dont il coordonnait les travaux. « En peignant directement sur le mur, nous avons pu intégrer à la fresque un aspect plus artistique. Elle est différente et je suis très content du résultat. Par ailleurs, la réalisation d'une murale exige un fonctionnement propre, en équipe, sans que le mérite soit attribué à quiconque en particulier. C'est une idée plutôt difficile à concrétiser pour des artistes habitués à travailler en solo. À certains égards, ce fut aussi éprouvant ! »

Pierre Laforest,
artiste peintre et muraliste

La Fresque de la découverte du cap Rouge

Parc nautique de Cap Rouge, Laurentien, Québec, 100m^2, 2007.

Fruit du remarquable travail réalisé par onze élèves de 4e secondaire et placée sous le thème de la « Découverte », la fresque relate, sous le regard de Jacques Cartier, les faits marquants de l'histoire de Cap Rouge et souligne l'importance de ses lieux fondateurs. On y reconnaît le « tracel » de Cap Rouge bordant le cap enneigé et franchissant la vallée du fleuve Saint-Laurent, la Maison Blanchette, l'église Saint-Félix-de-Valois (1859) et le couvent de la Sainte Famille, la côte de Cap Rouge... D'éminents personnages, dont Henry Atkinson, l'abbé Léon Provancher et le passeur sur la rivière Cap Rouge sont présents. Le contenu de ce trompe-l'œil très réussi a été élaboré par un comité de représentants de la Société historique du Cap-Rouge, de la Maison Léon-Provancher, et de la Division de la culture, du loisir et de la vie communautaire de l'arrondissement Laurentien. Les 200 000 visiteurs du parc de la Plage Jacques-Cartier apprécieront cette « mémoire du passé », immortalisant au pied du site historique et archéologique de Cartier-Roberval la vivacité sociale et culturelle du secteur de Cap Rouge, aujourd'hui quartier de Québec.

Conception et réalisation : Groupe muraliste de Québec (Mélanie Guay, Caroline Verville, Gitane Caron et Pierre Laforest),
Commission scolaire des Découvreurs (Léa-Jeanne Allen, Sarah Bérubé, Kelin Ding, Julie Gagnon, Geneviève Lebleu, Tatev Yesayan, Charles-Antoine Bussières, Stéphanie Cyr, Marie-Maude Richard-Fecteau, Claudel Couture, Camille Martin), Catherine Perreault et Valérie Deneault, enseignantes.
Production : Commission de la capitale nationale du Québec, Ville de Québec, Sam Hamad, Député de louis-Hébert et Ministre de l'Emploi et de la Solidarité sociale, Caisse populaire Desjardins de Cap-Rouge.

L'art du partage

« Scénographe, infographiste et styliste à ses heures, cette artiste multidisciplinaire insiste : « La clé de la réussite, c'est d'être en affaires ! » Pour survivre et nourrir le feu qui l'anime, Mélanie Guay cumule les boulots. « Je suis une personne qui a besoin de faire des choses différentes. À chaque projet, j'ai hâte de voir la fin. » Formée sur le chantier des Fresques des piliers avec Pierre Laforest et Hélène Fleury, elle regarde dans le rétroviseur de son parcours : « Comme nous peignons l'un sur l'autre, en superposition, ce sont les artistes avec qui l'on peint qui détermineront la qualité de notre formation. Ma chance a été de peindre avec les meilleurs dans la région. Et à cela s'est ajouté un stage de perfectionnement à Lyon. »

Coordonnatrice de la conception et de la réalisation de la Fresque de la découverte du cap Rouge, Mélanie Guay est catégorique : « C'est la plus belle expérience de ma vie ! L'esprit d'équipe était remarquable. Ces jeunes-là viennent encore me rendre visite sur les chantiers. » Pour ce projet, l'artiste a supervisé le travail de onze jeunes des écoles secondaires Les Compagnons-de-Cartier et de Rochebelle pendant l'été 2007, lequel avait été précédé de travaux préparatoires échelonnés sur un an, allant de la réalisation des maquettes à leur agrandissement sur le mur de cent mètres carrés. « Pour pratiquer le métier de muraliste, il faut beaucoup d'humilité. Tous les membres de l'équipe sont appelés à commenter le travail des uns et des autres. Il faut accepter qu'un ou une collègue repasse sur son personnage... C'est donc un projet idéal pour les jeunes et formateur sur plusieurs plans ; bien au-delà de l'apprentissage des techniques de dessin ou de peinture. »

Mélanie Guay, artiste muraliste.

La FRESQUE
de la découverte
du cap Rouge
Avec la participation des élèves
des écoles secondaires
Les Compagnons-de-Cartier
et de Rochebelle
COLBO

La Fresque de Sainte-Anne de Beaupré

9803, boulevard Sainte-Anne, Sainte-Anne-de-Beaupré, 180 m², 2008.

Réalisée sur un mur aveugle du musée à l'occasion du 350e anniversaire du Sanctuaire de Sainte-Anne-de-Beaupré, ce trompe-l'œil architectural présente, dans cinq tableaux peints à la manière des cartes postales colorisées d'autrefois, des thèmes issus de l'histoire de la Ville et du Sanctuaire de Sainte-Anne-de-Beaupré, comme la vie des femmes et des hommes laïcs ou religieux qui ont contribué à son développement, l'aspect rural, le patrimoine religieux, le rayonnement artistique, les Premières Nations, le fleuve, la villégiature, les attraits et les activités touristiques, les grands événements qui ont rythmé le temps. L'abondance des détails, l'hyper-réalisme des différents tableaux, le travail réalisé en amont par une commission de spécialistes donnent à l'œil averti une lecture foisonnante où rien n'est laissé au hasard. Il faut prendre le temps et laisser peser son regard sur chaque scène de vie, mais aussi sur chaque détail architectural, chaque nuance de couleur, tout a son importance et identifie le lieu, comme un livre d'histoires. C'est là, à deux pas du boulevard, mais aussi à proximité immédiate de la basilique et du sanctuaire, premier lieu de pèlerinage d'Amérique du Nord.

Conception et réalisation : MuraleCréation
Production : Ville de Sainte-Anne-de-Beaupré, Sanctuaire de Sainte-Anne-de-Beaupré, Commission de la capitale nationale du Québec, Caisse populaire Desjardins Mont-Sainte-Anne et 40 partenaires privés.

MUSEE ANTIQUE
MAGASIN GENERAL
MARIE LACROIX
HOTEL REGINA
HOTEL ST LAURENT
ROYAL
MUSEUM
POPULAIRES
SOUVENIRS
ET OBJETS DE PIETE
RESTAURANT
ALBERT GIGUERE
CALECHES
TOURS GUIDES
BOULANGERIE
ARNOLD PERRON

La Fresque de Beaupré

11 005, boulevard Sainte-Anne, Beaupré, 45 m^2, 2008.

Vue sur le Mont Sainte-Anne, par les portes et fenêtres de l'hôtel Morel, qui accueillit de 1880 à 1960 les visiteurs à Beaupré ! La fresque raconte les 80 ans de la ville et ses développements économique, industriel, commercial et touristique. Les grands bâtisseurs que furent Jean-Baptiste Beauregard, Antoine Bélanger, Arthur W. Cooper et Ferdinand Van Brussel sont bien là, en tenue de ville ou en costume montagnard, comme François Pichard, les skis à la main. L'église et son clocheton semblent sortis d'un livre d'images, les bords de la rivière Sainte-Anne, poissonneuse, sont accueillants, les usines encore non polluantes et la Côte-de-Beaupré chatoyante de couleurs d'automne. Mais qui est cette petite fille blonde en robe blanche qui s'amuse, assise sur le parquet ? Elle semble vouloir sortir du cadre...

Conception et réalisation : MuraleCréation.
Production : Ville de Beaupré, Commission de la capitale nationale du Québec, Caisse Desjardins Mont Sainte-Anne, Abitibi-Bowater, Couche-tard.

La Fresque BMO de la Capitale Nationale du Québec

1037, la Chevrotière, Québec, 450 m^2, 2008.

Elle a été conçue sur un mur aveugle de l'édifice Marie-Guyart, siège du ministère de l'Education du Québec, comme un hommage à la ville et à son statut de capitale politique, qui remonte aux premiers balbutiements de la colonie, lorsque Pierre Dugua de Mons et Samuel de Champlain choisirent Québec pour y fonder le premier établissement permanent en Amérique du Nord. Ce fut le véritable point de départ de l'odyssée de la Nouvelle-France, il y a 400 ans... L'élément central du trompe-l'œil représente la façade de l'hôtel du Parlement, siège de l'Assemblée nationale de Québec, où sont mis en scène les personnages, hommes ou femmes, qui ont marqué, à leur manière, l'histoire politique du Québec. Des manifestants pour la démocratie, des groupes de Québécois anonymes, le bouleau jaune, arbre emblématique du Québec, d'autres détails habituels du trompe-l'œil, l'oiseau (hareng des neiges, emblème aviaire du Québec) apportent quelques touches de chaleur dans un contexte dépouillé, qui s'illumine le soir venu par une mise en lumière bienvenue et réussie.

Conception et réalisation : MuraleCréation.
Production : Commission de la capitale nationale du Québec, BMO Groupe Financier, Société immobilière du Québec.

*« Devoir de mémoire accompli.
Plaisir offert à une dame remarquable.
Moment émouvant. »*

Denis Angers,
à propos de Claire Kirkland-Casgrain,
première femme assermentée à
l'Assemblée nationale et âgée de 83 ans,
intégrée à la Fresque BMO
de la capitale nationale du Québec.

La Fresque du Peuple Wendat

Place de la Nation, boulevard Bastien, Wendake, 40 m², 2008

La communauté de Wendake est située au nord de Québec. C'est la seule Nation huronne-wendat au Canada. Un grand nombre de ses membres habitent sur le territoire de Wendake. Surplombant la rivière Saint-Charles, à proximité de la Chute Kabir-Kouba, à l'entrée du territoire, la Fresque du peuple wendat se présente sous la forme d'une série de peaux d'animaux peintes en trompe-l'œil, mettant en contexte l'histoire de la nation huronne-wendat. Les différentes scènes symbolisent l'union et la survie dans les univers respectifs des femmes et des hommes, à travers leurs activités et rapports familiaux, sociaux, commerciaux, quotidiens et traditionnels.

À gauche de la fresque, l'univers des hommes, à travers leurs diverses activités, comme la chasse, les contacts avec les autres civilisations, les alliances, le commerce, le troc et les déplacements. Au centre, sur le dos de la tortue, le mythe de la création du monde et de la jeune fille du nom d'Aataentsic. Elle devait déraciner le pommier mais tomba à travers les nuages. Grande Tortue l'accueillit sur son dos qui devint une île... La scène est entourée de pictogrammes représentant la voûte céleste. À droite, l'univers des femmes, la famille, la transmission du savoir, l'artisanat, l'agriculture, le village et ses maisons longues, les activités sédentaires... Ces scènes se déroulent derrière une plateforme de rochers où sont représentés les animaux des clans de la Nation huronne-wendat : l'ours, le loup, la tortue, le chevreuil. Mais aussi le feu, symbole de la Nation huronne, le tabac sacré, utilisé pour remercier le Créateur lors de la chasse et des cérémonies, et un couple de la Nation wendat d'aujourd'hui jouant de la guitare et du tambour d'eau et symbolisant le passage vers la réalité contemporaine.
Deux artistes huronnes-wendat, Francine Picard et Manon Sioui, ont spécialement reçu une formation en peinture murale à Lyon et ont été associées aux côtés des peintres de Muralecréation à la mise en peinture de cette œuvre étonnante. Pour en garantir l'authenticité historique, de nombreux experts, (historien, ethnologue, archiviste, muséologue) ont participé à l'élaboration de son contenu.

Cette fresque a été inaugurée le 10 octobre 2008 en présence de :
Jacques Langlois, Président-directeur général de la Commission de la capitale nationale du Québec, le Vice-président délégué aux relations internationales de la Région Rhône-Alpes, Max « One-Onti » Gros-Louis, le Grand Chef de la Nation huronne-wendat, Marcel Godbout, président de Tourisme Wendake, et avec la participation de nombreux Québécois et Lyonnais.

Conception et réalisation : MuraleCréation, avec la participation de Manon Sioui et Francine Picard.
Production : Tourisme Wendake, Commission de la capitale nationale du Québec, Capitale Culturelle Canada.

Max Gros Louis effectue l'acte de purification de la fresque.

L'art de se raconter

" Pour Manon Sioui et Francine Picard, artistes huronnes-wendat multidisciplinaires, la Fresque du peuple wendat revêt une importance particulière. « Ce n'est pas qu'une simple attraction touristique», précise Manon Sioui. C'est une manière de communiquer notre culture. C'est aussi le plaisir d'observer des visiteurs se familiariser avec des éléments de notre histoire et de notre culture. » Cela rejoint ce que raconte Francine Picard : « Une fois notre travail terminé, il faut savoir laisser les gens regarder la fresque avec leurs propres yeux. On le fait pour eux. Chacun y trouve sa référence et sa propre interprétation des images évoquées. »

Tourisme Wendake avait ce projet sur la table depuis quelques années. En 2008, l'argent nécessaire à la réalisation de la fresque est réuni. S'en suit la mobilisation du milieu. On commence par interpeller les artistes et artisans locaux en distribuant une invitation aux portes de la communauté de Wendake. Parmi les candidatures reçues, celles de Manon Sioui et Francine Picard, deux artistes multidisciplinaires d'origine huronne-wendat. Elles compléteront leur formation par un stage à Lyon pendant lequel elles se familiariseront avec toutes les étapes menant à la réalisation d'une fresque. « J'étais tout ouïe à cette nouvelle expérience, raconte Francine Picard, et j'ai été comblée. Nous avons non seulement été accueillies à bras ouverts par Citécréation, mais nous avons reçu une formation théorique et pratique généreuse. Toutes les questions étaient permises ! "Partage" est le mot qui convient parfaitement pour qualifier cette expérience. » Et jamais les deux femmes ne se sont senties ostracisées en raison du fait qu'elles étaient autodidactes et sans diplôme...

Manon Sioui et Francine Picard,
artistes huronnes-wendat.

Un concours de bédéistes québécois pour une fresque lyonnaise !

Pour le 400e anniversaire de la naissance de la ville de Québec, la Région Rhône-Alpes a suggéré la réalisation d'une fresque, à Lyon, dont elle a confié la réalisation à CitéCréation, sous la direction de projet d'Halim Bensaïd. La Commission de la capitale nationale du Québec s'est associée à ce projet de fresque en présentant un concours de sélection de bédéistes québécois. Le thème ? « Québec, cité idéale ». Ce concours s'est tenu dans le cadre du Festival de la bande dessinée francophone de Québec, lors du Salon international du livre de Québec au printemps 2008. Les six candidats québécois sélectionnés, à partir des trente dossiers reçus, par un jury constitué de représentants de Citécréation, de Muralecréation et de la Commission étaient Jean-Paul Eid, Jean-François Bergeron, André-Philippe Côté, Simon Dupuis, Réal Godbout et Denis Rodier. Le charme de la ville transparaît, dans tous les dessins, un ensemble d'une qualité exceptionnelle. Les maquettes de ce concours prometteur ont été consultables durant toute la période de décision sur le site Internet de la Commission de la capitale, et présentées au public, à Lyon, exposées au Musée Urbain Tony Garnier, juste en face du mur destiné à accueillir la future fresque.

Le choix final revient à la Région Rhône-Alpes. Le projet de Jean-Paul Eid est retenu. Œuvrant dans le domaine de la bande dessinée et de l'illustration depuis 1985, Jean-Paul Eid a collaboré au magazine CROC avec Les Aventures de Jérôme Bigras. Il a également contribué comme bédéiste à plusieurs magazines dont Les Débrouillards et Safarir. Auréolé de nombreux prix pour ses albums, il poursuit une carrière d'illustrateur publicitaire et éditorial. En 2005, il est choisi comme président d'honneur de la première édition de BD Montréal, organisée conjointement par le groupe « Juste Pour Rire » et le Salon du livre de Montréal.

Jean-Paul Eid a inauguré la fresque Cité idéale du Québec en septembre 2008, à Lyon, en présence de Jacques Langlois, Président et directeur général de la Commission de la capitale nationale du Québec, du Président de la Région Rhône-Alpes et d'un très nombreux public. « Merci d'avoir offert ce mur à mon crayon, c'est un grand honneur... » devait-il déclarer. L'adaptation de son œuvre à l'édifice public, le mur aveugle d'une façade du lycée Auguste-et-Louis-Lumière, aura pris six semaines.

De façon toute personnelle, voici illustré ma vision de la capitale lorsque son nom résonne à mes oreilles : une ville de vents, de saisons et de parcs boisés aux demeures riches en histoire.
Une ville invitante où, du haut de son cap aux diamants, le regard porte vers l'horizon.
Dans mon évocation, elle est envahie par la forêt mais les constructions cohabitent sans difficulté avec les fortes racines des écosystèmes québécois ; les arbres y sont plus grands que nature, en symbioses avec des bâtiments emblématiques de la capitale ; la côte de la Montagne y est illustrée comme une rivière aux eaux vives ; les saisons s'y côtoient toutes en même temps. Malgré tout, l'harmonie règne.
C'est un tableau onirique bien sûr, mais c'est par le rêve, je crois, que l'on fait progresser la réalité.
Et ce rêve sans doute que Champlain l'a fait lui aussi en fondant Québec, son chapeau emporté par le vent vient nous le rappeler...

Jean-Francois Bergeron

Québec, ville de rêve, cité étagée dont les pieds s'enracinent dans le fleuve et la tête se fond dans le ciel. Dans une vision à la fois aérienne et sous-marine, une cité traversée par les fantômes de son histoire : le navire de Champlain, les canons de Frontenac, les canots amérindiens, le R100 qui survola la ville en 1930, avec, en guise de passerelle, un pont légendaire. Une ville suspendue entre deux eaux, dans l'ombre évanescente d'un château.

Jean-Paul Eid

Ce dessin correspond à une vision idéalisée de la ville de Québec.
J'ai habité pendant quelques années la petite ruelle Sous-le-Fort situé juste en contrebas de la rue Des Remparts au pied du Cap Diamant.
Je me rappelle la lumière de certaines nuits d'hiver qui donnait à la ville un aspect presque irréel. Il y régnait également le silence ouateux de la neige qui recouvre les objets et les sons.
Je n'ai dessiné aucun des édifices typiques de la ville car, ce n'est pas l'apparence physique que je cherche à évoquer (qui peut être un peu folklorique) mais une lumière unique, un peu marine, très enveloppante des nuits d'hiver à Québec.
Le parc en verdure au bas du dessin est un rappel des contrastes qui font la spécificité de cette ville. C'est aussi la représentation des rêves estivaux qui nous hante tout l'hiver lorsque le froid semble installé à tout jamais.

André-Philippe Côté.

La ville de Québec est un tourbillon qui s'appuie sur le St-Laurent pour pointer vers le ciel. Ses perspectives diffèrent à chaque instant et le point de vue à vol d'oiseau ne veut qu'accentuer ce joyeux tourbillon.

Denis Rodier

Sur le thème de la cité idéale, plutôt qu'une image utopique ou futuriste, le lieu étant en lui-même assez inspirant, j'ai choisi de présenter simplement un portrait de la ville. Un portrait qui soit autre chose qu'une carte postale, qui soit l'interprétation, la transposition en raccourci d'une image mentale de Québec.
Il s'agit bien d'un panorama, non d'un collage, mais les libertés prises avec l'échelle, les proportions et la perspective, les tracés non rectilignes, me permettent de m'approprier la ville par le dessin, de faire danser le décor et d'y intégrer une présence humaine de façon festive et ludique. Les personnages, issus des différentes époques de l'Histoire de Québec, sont présentés en action, au niveau de la rue, et non comme des monuments.

Réal Godbout

Suite à la lecture d'un reportage spécialisé, où on disait que Québec était devenu la capitale provinciale comptant le plus de toitures végétales, j'ai imaginé Québec, ma cité idéale : une scène urbaine vécue sur le sol de ses racines fondatrice, soit dans le paysage architectural du Vieux-Québec. Toute la population s'y déplace à pied, à vélo, en véhicule à moteur à hydrogène, et aussi à calèche tirée par un orignal ailé et conduite par Samuel De Champlain lui-même. Les québécois, fiers de leur ville et soucieux des préoccupations environnementales jardinent sur leur toit. Tandis que les chef-d'œuvre du patrimoine tel que le château Frontenac se laisse envahir par la verdure. Bref, c'est la forêt au cœur de la ville et le présent qui côtoie le passé !

Simon Dupuis

La Fresque Cité Idéale de Québec

50, boulevard des Etats-Unis, Lyon 8e, 150 m², 2008.

Le pont de Québec devient passerelle du temps, reliant les édifices du Vieux-Québec entre lesquels circule le Don de Dieu, bateau de Samuel de Champlain.
Ce magnifique trompe-l'œil, célébrant le 400e anniversaire de la naissance de la ville de Québec, est intégré au Musée Urbain Tony Garnier, musée à ciel ouvert, qui propose une collection de 30 fresques murales rendant hommage à l'architecte lyonnais Tony Garnier (1869-1948), et aussi aux cités idéales du monde. Y sont déjà représentées les cités idéales d'Egypte, de l'Inde, du Mexique, de la Côte-d'Ivoire, de Russie, des U.S.A., de Shanghai, et maintenant de Québec. Non loin de là, au début du boulevard, trois murs peints de grande dimension accueillent le visiteur en symbolisant la Tour de Babel et son mythe de cité idéale. Dans ce parcours urbain exceptionnel la Fresque Cité idéale de Québec prend toute sa dimension et contribue à promouvoir l'art et la culture dans la ville. La palette de couleurs retenues pour la réalisation de cette œuvre en fait une prouesse technique à saluer.

Cette fresque a été inaugurée le 12 septembre 2008, en présence de Jean-Paul Eid, auteur du projet, bédéiste, et de Halim Bensaïd, co-gérant de CitéCréation, par le Président de la Région Rhône-Alpes et Jacques Langlois, Président et directeur général de la Commission de la capitale nationale du Québec.

Conception et réalisation : CitéCréation et MuraleCréation
Production : Région Rhône-Alpes et Commission de la capitale nationale du Québec.

« Bédéistement fresque » ou La fresque s'amuse...

Jean-Paul Eid, sélectionné pour devenir auteur de la Fresque idéale de Québec, sera piloté par Citécréation, notamment pour ce qui a trait à la composition de l'image en vue de son agrandissement sur l'un des murs du lycée Antoine et Louis Lumière au Musée Urbain Tony Garnier, à Lyon. « Comme illustrateur, je travaille à équidistance de mon dessin. Mon regard se porte toujours au centre de la surface de travail. Ce qui est impossible à faire du sol, d'autant plus qu'il faut tenir compte du recul nécessaire à l'appréciation d'une fresque. J'ai donc appris à positionner les éléments les plus détaillés au bas de l'illustration ; à rendre la murale la plus réaliste possible afin que les gens soient tentés d'intégrer le dessin donnant l'illusion d'être vrai. »

Jean-Paul Eid a été impressionné par le défi que représente la reproduction, sur un mur, d'un document à l'origine numérique. « Les peintres muralistes s'attardent à reproduire les couleurs, les jeux d'ombre et de lumière et à faire des corrections selon la lumière du lieu. Je m'attendais à ce qu'ils disposent d'outils pour transposer mon document numérique sur leur mur, pour obtenir une recette de couleur, mais non ! Tout est fait à l'œil sur place ! »

Jean-Paul Eid, bédéiste

La Région Rhône-Alpes et le Québec

CitéCréation : La Bibliothèque de la Cité à Lyon.

En tant qu'entité administrative et territoriale, la Région Rhône-Alpes date de 1972. Elle est composée de territoires variés, réunit d'anciennes provinces historiques et compte huit départements (Ain, Ardèche, Drôme, Isère, Loire, Rhône, Savoie, Haute-Savoie). Les Rhônalpins sont attachés à leur région, dont ils affirment que les atouts qui la caractérisent sont la prospérité économique, la beauté des paysages et la présence de la nature. Cette diversité de paysages fait de Rhône-Alpes une région appréciée pour ses attraits touristiques. Capitale européenne de l'or blanc grâce à ses 216 stations de sports d'hiver, la région est aussi renommée pour son thermalisme et ses magnifiques sites naturels. N'oublions pas que la Région Rhône-Alpes compte dans ses atouts le formidable témoignage que représentent la grotte Chauvet en Ardèche, et ses peintures pariétales préhistoriques vieilles de 33 000 ans... Il n'y a pas de hasard.
Rhône-Alpes est la première région française à avoir engagé un programme de travail avec le gouvernement du Québec. Avec le même niveau de développement technologique et universitaire et quasiment le même poids démographique, les relations bilatérales entre Rhône-Alpes et le Québec affichent une amitié de près de vingt ans. Ces relations ont été renforcées par un programme qui favorise le développement économique du Québec et de la région Rhône-Alpes, intensifie les échanges culturels et identifie des créneaux de coopération en formation, recherche et technologie.

Le rayonnement et le développement de la Région à l'international passent par l'implantation de centres de compétences et d'entreprises étrangères en Rhône-Alpes. Pour ce faire, ERAI (Entreprise Rhône-Alpes International) prospecte des investisseurs étrangers et les accompagne dans leur projet de développement dans la région. Véritable vitrine de la Région, ERAI dispose également d'antennes et de relais dans le monde. Depuis 1989, la région Rhône-Alpes dispose d'un bureau permanent à Montréal, chargé de privilégier les contacts économiques entre milieux d'affaires rhônalpins et québécois. ERAI Montréal accueille par ailleurs « l'Espace Rhône-Alpes » dédié à la promotion du territoire. À la suite de près de 2000 sollicitations, plus de 600 entreprises rhônalpines ont été accompagnées dans leur développement commercial au Québec. 18 entreprises canadiennes se sont implantées en Rhône-Alpes et 51 entreprises rhônalpines au Canada.
Chaque année, depuis 1997, avec le concours du CALQ (Conseil des arts et lettres du Québec) et celui de la Région Rhône-Alpes, un écrivain rhônalpin et un écrivain québécois sont en résidence croisée à Lyon et

Montréal, durant trois mois. L'UNEQ (Union nationale des écrivains et écrivaines québécois) et l'ARALD (Agence Rhône-Alpes pour le Livre et la Documentation) mettent en œuvre et suivent ces résidences.
Par ailleurs, présence au Salon du livre de Montréal des éditeurs de la région, tournées d'écrivains et rencontres professionnelles marquent l'évolution d'un lien durable, favorisé par la signature de mémorandums successifs entre le Québec et la Région Rhône-Alpes.

Enfin, créés en 1984 sur l'initiative de la Fondation Mérieux, les Entretiens Jacques-Cartier fédèrent de nombreux partenaires franco-québécois publics et mécènes privés. Alain Bideau et son équipe réunissent annuellement universitaires, chercheurs et décideurs pour des colloques selon quatre axes prioritaires : la recherche scientifique, les problèmes de société, l'économie sociale et la culture. Ces entretiens se déroulent en Rhône-Alpes, et tous les quatre ans au Québec. Ils sont soutenus financièrement par la Région Rhône-Alpes.

En 2008, Rhône-Alpes s'est associée pleinement aux célébrations du 400e anniversaire de la fondation de la ville de Québec, avec notamment une participation à la réalisation de la Fresque Cité Idéale du Québec (à Lyon) réalisée par CitéCréation et à celle de la Fresque du peuple Wendat (à Québec) réalisée par MuraleCréation.

“ Huit années se sont écoulées entre les Fresques des piliers, première expérience de Gitane Caron comme peintre muraliste, et celle de Shanghai. L'expérience des piliers fut déterminante, et elle a atteint son culminant avec un stage de quatre semaines à Lyon en 2003. « C'est comme si tout ce à quoi j'avais touché précédemment se consolidait pour concourir à ma nouvelle carrière de peintre muraliste. J'avais touché à la perspective, à l'architecture, aux arts plastiques, à la gestion d'atelier, à l'organisation de projets. » L'artiste avait trouvé sa voie.

Des Fresques des Piliers… à Shanghai

Depuis, Gitane Caron a collaboré à la réalisation de différents projets de fresques à Québec. Mais Shanghai... Voilà une expérience humainement différente. L'artiste muraliste résume en un mot son aventure sur la plus grande fresque en trompe-l'œil du monde : « valorisante ». Parce que le défi a été relevé et les peurs vaincues. Les unes après les autres. Peur de l'avion, peur d'être toute seule pendant le deuxième trimestre de sa grossesse. Peur de s'éloigner de son bambin de quatre ans pendant un mois.

Des nuits d'insomnie ont précédé le grand départ. Il s'en est fallu de peu pour qu'elle annule tout. Pourquoi avoir persévéré pour relever le défi ? Pour plusieurs raisons, financières notamment. « Mais surtout, parce qu'il faut saisir les occasions que la vie nous offre et que ce ne sont pas mes peurs qui allaient décider de ce que j'allais vivre. » À Gitane Shanghai !

Cette jeune femme originaire de la région du Bas Saint-Laurent au Québec, qui a grandi dans un village d'à peine cinq mille habitants, se retrouvait au milieu d'une ville où en vivent vingt-cinq millions. Le choc culturel a été aussi intense que le boulot. Le travail s'effectuait au rythme d'une douzaine d'heures par jour, six jours par semaine. Malgré tout, Gitane compare l'expérience à un saut en parachute : « Une fois qu'on l'a fait, on veut recommencer. Les coéquipiers deviennent ta famille, ton substitut social. Je repartirais n'importe quand ! »

Gitane Caron,
artiste muraliste et illustratrice

“Ce n’est pas l’escalier qui compte... mais l’ascension...”

La passerelle jetée il y a dix ans entre la Fresque des Lyonnais et la Fresque des Québécois réalisées magistralement de chaque côté de l’Atlantique prolonge les propos de Diego Rivera, maître muraliste mexicain, qui lançait dès 1922 sous forme de manifeste : “Nous nous déclarons en faveur de l’art monumental, sous toutes ses formes car il s’agit d’un bien public... Les créateurs de beauté doivent s’efforcer de produire des œuvres d’art idéologiques pour le peuple. L’art ne doit plus être l’expression d’une satisfaction individuelle... Il devrait avoir pour but le combat pour l’éducation pour tous”. Pour les deux fresques, l’application d’un même concept, identitaire et pourvoyeur de sensations. Devant l’une comme au pied de l’autre, le spectateur devient acteur de sa propre émotion et non témoin de celle d’un autre... L’élaboration de chacune des fresques s’appuie certes sur les images fortes et fondamentales des territoires qu’elles illustrent, comme les éléments de l’architecture, du patrimoine, le rythme marqué des saisons, les personnages de légende... mais dès lors qu’elles sollicitent l’imaginaire, qu’elles incitent le passant à lever la tête, à se laisser emporter hors des sentiers balisés de la ville et de ses interdits, elles deviennent passeports pour le rêve. Nul mieux que l’écrivain Jean-Philippe Mestre n’a exprimé ce voyage : « Le trompe-l’œil dit ceci : ce n’est pas l’escalier qui compte, mais l’ascension, ce n‘est pas la posture qui compte, mais l’équilibre, ce n’est pas la fenêtre, mais la fraîcheur, ce n’est pas le chef mais la gourmandise, ce n’est pas l’autorité du pandore, mais le sarcasme de Guignol.[...] Le trompe-l’œil dit ceci : la vérité et la beauté sont dans le regard de celui qui passe, dont l’art n’est que le reflet inspiré. » Ce n’est pas l’image, aussi figurative soit-elle, qui prime, mais l’émotion qu’elle dégage. Elle rend pertinent le message, et permet à chacun de se fondre dans le conte. Ce message-là est universel, il jongle avec le temps, il se moque des frontières. Depuis dix ans, de Rhône-Alpes à Québec, et jusqu’en Gaspésie, de villes en villes, de régions en pays, de pays en continents, de Lyon à Shanghai, il jette autant d’étoiles dans l’imaginaire du passant que les peintres disposent d’harmonies dans la palette de leur talent. CitéCréation et MuraleCréation sèment leurs fresques à tout vent, comme autant d’allégories de la forme, de la couleur, du mouvement, du son, de l’intelligence, de la connaissance, et de l’émotion.

Détail de la Fresque La Cité Idéale de Québec où l’on retrouve en miniature La Fresque des Québécois.

"It took place on a Sunday morning, at the foot of the Fresco of the Lyonnais..." Thus the story begins – the incredible story of these meetings eyes between Lyon and Quebec City, with mural paintings in the background.

In the beginning, an emotion, a meeting

Which emotion? The one overwhelming Pierre Boucher, who was then the president and chief executive officer of the Commission of the National Capital of Quebec, when he stood in front of the Fresco of the Lyonnais, which he discovered when he came to Lyon! The native of Lyon, Alain Guilhot, and his society "Architecture Lumière" (= Light Architecture), had lit the Fresco of the Lyonnais. Now, one can see him at the foot of the Fresco, with Pierre Boucher and Gilbert Coudène, the lucky initiator – with CitéCréation – of this wall, which unveils as an open book over the town. Which meeting? The one of three personalities with sturdy characters, with keen beliefs and fierce wills. In 1998, the fresco was three years old. Who are these talented muralists Pierre Boucher has discovered?

CitéCréation

Among the strong symbols of the city of Lyon, the identity and historic painted walls made by the cooperative company CitéCréation can be seen everywhere. The team (of 12 people) achieved more than sixty of them throughout the city. Between the first meetings with the makers and the inauguration of the wall, there are many complex stages linked with the neighbouring populations. These stages are carried out by the muralists of CitéCréation. Since 1978, CitéCréation has signed more than 470 monumental works in the world. All those creations display cultural, social or economic identities.

Besides the Fresco of the Lyonnais, CitéCréation has achieved many works; its list of achievements commands admiration: in Lyon, the Canuts' Wall (= Silk workers' wall, updated every 10 years), the Light Fresco (a big first in the world), the 30 frescoes of Tony Garnier Urban Museum (the most visited French council houses), the Diego-Rivera Area (made for the 50th anniversary of the painter's death), the frescoes of the Sarra (3 000 sq. m., the biggest architectural trompe-l'œil of Europe), not to mention the fresco painted in trompe-l'œil on the façade of the Carrefour Wuning Store building made in 2008 right in the centre of Shanghai (5 000 sq. m., a world record!)...

The Quebeckers' Fresco

Pierre Boucher had an extraordinary tool: the Commission of the National Capital of Quebec, which must promote the role of capital of the historic town. In his sight, there is the 400th anniversary of Quebec City, which was about to take place in 2008...

Thanks to the originality of the concept, the similarities between Lyon and Quebec City, their common will to develop a cultural tourism open to everyone, and CitéCréation's savoir-faire and experience, this plan became an event everyone wanted to seize, on both sides of the Atlantic.

In Quebec City, about twenty "blind" walls likely to be the support for the Quebeckers' Fresco were spotted... And then, the eagle-eyed Gilbert spotted THE "ideal" wall. He chose the one at the foot of Frontenac castle, on the "Place-Royale", on the blind gable of 420 sq. m. before the five-storied Soumande house belonging to the Society of Development of Cultural Undertakings of Quebec (SODEC). The SODEC subscribed to the plan. CitéCréation would both design and make the fresco. Thanks to the financial backing of the Commission, three Quebec artists received an education as regards mural painting: Marie-Chantal Lachance, Pierre Laforest and Hélène Fleury, trained by the CitéCréation team. They in turn would become the vital leads of an adventure they were to share in Quebec City – an adventure advocating the right for beauty open to everyone.

The Commission of the National Capital of Quebec

Created on June 22nd 1995 by the French National Assembly, the Commission of the National Capital of Quebec fulfils a triple mission: it contributes to the development and the improvement of the capital, it promotes it thanks to a varying programme of activities, of discoveries and of commemoration, and finally, it gives advice to the Quebec government about the development of its status. It is managed by a board of directors formed by 13 members who are appointed by the government and who represent various classes of the Quebec society, and it intervenes on the territory of the metropolitan Community of Quebec City. The Commission has become an essential instrument for the development and the promotion of the capital, undertaken at the instigation of its successive presidents, Pierre Boucher (1995-2003), Pierre Boulanger (2003-2005) and Jacques Langlois (since November 2005).

The Commission boosted a few major realizations for the celebration of the 400th anniversary of Quebec City (2008). The most imposing building site was the making of Samuel-de-Champlain esplanade, which returned the Quebeckers the river and its banks. The most symbolical acquisition, thanks to a donation made by the Simons house, was the one of the fountain of Tourny, which, once restored and put to light, now have 43 sprays splattering, and thus became a major attraction in the capital.

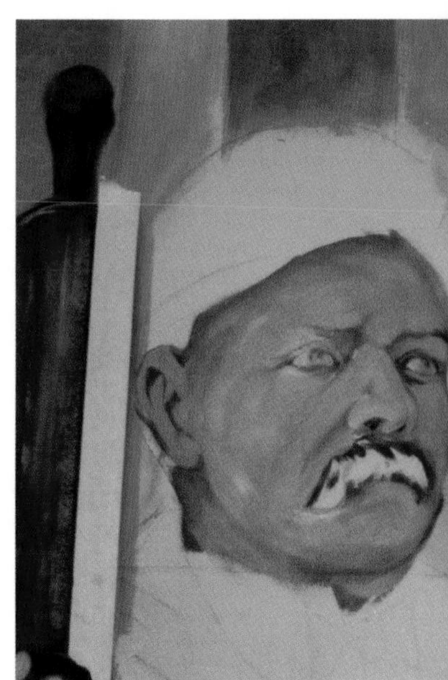

A colourful transfer of expertise

In order to make a monumental fresco (420 sq. m.) on a blind wall, one had to think about the testimonies of the everyday life of the building site which set up from April to August 1999 on the "Place Royale". After the wall was repaired, the muralist painters could work. The work tells the story of Quebec City. Since 1989, the Rhone-Alps region has had a permanent office in Montreal. It is managed by "Entreprise Rhône-Alpes International" (= ERAI, International Rhone-Alps Company). Jean-Marc Durano and Laurent Satre take up its management; they are put in charge of privileging economic contacts between Rhone-Alpine and Quebec business environments. They tell CitéCréation what structures are at its disposal. In order to facilitate the implementation of the frescoes programme decided by the Commission of the National Capital of Quebec City, one had to accept CitéCréation had to create a company in Quebec City... ERAI Montreal will be the kingpin of this transfer of expertise.

MuraleCréation: already 10 years old

The creation of MuraleCréation, a Canadian company made up by SautOzieux (pun meaning "it sticks out a mile") – a Quebec creation workshop – and by CitéCréation, a Rhone-Alpine society, arose from the good rapport its actors had. Since 1997, Marie-Chantal Lachance and Nathaly Lessard have created inner atmospheres. Since 2000, with the help of the Rhone-Alps region and of the ERAI of Montreal, CitéCréation and MuraleCréation have opened, in boundless walls, new windows on the world...

10 years after the Quebeckers' Fresco – the fresco of reference – thirty outer monumental frescoes punctuate MuraleCréation's path, from Quebec City to Mont-Joli, in Gaspésie! Nowadays, CitéCréation and MuraleCréation offer a unique expertise, which was materialized by more than 470 monumental works throughout the world. Thus, Quebec City became in turn, after Lyon, an inescapable reference as regards mural painting.

Mural painting and trompe-l'œil

Wall art is the first expression of mural painting. The expression methods and the techniques of mural painting, which became a street culture, both come from an ancient history. When put in touch with the inhabitants, mural painting favours popular expression, social links and allows the individual to identify with some places. Here, we are in the domain of public area, of its creators' imagination – creators who act in a civilization of pictures – and of its decision-makers, who are dreams-smugglers. Linked with architecture when mural painting is involved, the trompe-l'œil plays with the spectator's perception, conveys and impression of reality. No improvising when looking at these carefully elaborated jigsaws, at this concept the muralists of CitéCréation have imported to Quebec.

Techniques and passing on

The Quebeckers' Fresco juxtaposes two different systems of work. After many thousands of shots, layouts, calculations, plans, drawings made at the CitéCréation workshop, 180 drawings depicting the scenes to be reproduced were copied out on as many numbered sheets of tracing paper. The lines and outlines of the drawings were pierced with several holes so that a colouring powder could settle on the wall. This is the stencil system; it is as old as the hills. The windows of the ground floor and of Octave Crémazie's bookshop were brought from Lyon, directly painted on canvasses. This is the backing technique, named after the glue applied on the back of the canvas and on the wall.

Training and transfer of savoir-faire

The scientific committee set up for each plan gives concrete expression to the starting idea, and defines it in a historic context. The meeting and the dialogue with the inhabitants of the place allows the concerned residents to take part in the elaboration of the fresco, so that they can better appropriate the work. The muralist painters must design the picture that is to be reproduced, scene by scene, and must make a scale model of it, so that the project can be ratified. From now on, within the scope of the training CitéCréation set up, the design of the frescoes can be handed over. Independent muralist painters join the basic team. Then, the neatly elaborated scenes are enlarged with an overhead projector, directly on the unpainted canvasses, and the lines are redesigned. Before that, the architectural building of the fresco has been studied in relation to the existing support. How can the artists take advantage of a damaged wall? The actual painting on the canvas can begin at the workshop. Mural painting needs techniques of reproduction which differ from traditional painting, simply because the observer must step back in order to visualize the future work. The palette of hues is determining for a better harmony. Precise details liven up the scenes of the fresco. Once the canvasses have been made, they must be put on the restored walls, according to the backing technique. The very last stage: to see to it that the whole work melts into the background, in an architectural dressing and in an environment, which both are peculiar to the trompe-l'œil...

The ambitious programme of the Commission of the National Capital of Quebec

From 1999, the muralist plans of the Commission of the National Capital of Quebec were part of a policy of improvement and of redevelopment of public areas. That was done so that the National Capital could prepare to celebrate its 400th anniversary in 2008. After the Quebeckers' Fresco, the Petit-Champlain Fresco in 2001, the Fresco of the General Hospital of Quebec in 2003, and many more, have enriched a tour of great historic and recreational mural works. Not to forget the most recent work: the Fresco of the Wendat people, in 2008, which tells the story of the Wendat and Huron nations at Wendake. The leitmotiv of the Commission: give way to history. About fifteen works have been made up to now.

Besides the works made by MuraleCréation, a network of talented muralist painters is gradually developing, thanks to the support of the Commission of the National Capital. Here can be quoted Hélène Fleury, who, in 2000, decided to make the Pillars Fresco, and Pierre Laforest, who enjoys the support of the "Maison Dauphine". The group "Zone-Art", in which we can find Gitane Caron, has joined them. We will otherwise follow the pictorial adventures of this artist... In 2005, in Beauport, the Canadian Muralist Maestros (MMC in French) entered the scene. In 2006, in Lévis, Pierre Laforest and the Swivel Workshop created a panoramic fresco on the outer wall of the gymnasium of the Secondary School. The Muralist Group of Quebec (Mélanie Guay, Caroline Verville, Gitane Caron) trained young talents so that the Cap Rouge Fresco could be realised in 2007. All in all, CitéCréation thoroughly trained twelve painters in Lyon.

In 2008, the Rhone-Alps region joined with two plans of frescoes uphold by the Commission. In order to make the Fresco of the Wendat people in Wendake, two Wendat and Huron artists, Manon Sioui and Francine Picard, were welcomed in Lyon; they were trained by CitéCréation and could take part in the painting of the work thanks to MuraleCréation. In the same way, in Lyon, the Rhone-Alps region and CitéCréation joined together for the making of the Fresco of the Ideal City of Quebec. The Commission of the National Capital, which had organized in Quebec City a competition of strip-cartoonists who were in charge of dealing with the theme, helped them as well. Jean-Paul Eid's ideal city of Quebec has been painted on the wall of the Auguste and Louis Lumière Secondary School in Lyon.

Therefore, from day to day, the beautiful story of the painted walls of Quebec City is written. These walls also speak of people who work so that the memory of the nations or of the cities does not wear away, as easily as a fleeting palimpsest...

The Rhone-Alps region and the Province of Quebec

As an administrative and territorial entity, the Rhone-Alps region dates from 1972. It is composed of various territories, gathers old historic provinces, and has eight departments (Ain, Ardeche, Drome, Isere, Loire, Rhone, Savoy, High-Savoy). Thanks to this diversity, this region is appreciated for its tourist attraction. Rhone-Alps is the first French region which has begun a working programme with the Quebec government. The bilateral relationships between Rhone-Alps and the Province of Quebec led to an almost twenty-years long friendship.

The influence and the development of the region on the international market could only be achieved thanks to the setting up of competence centres and of foreign companies in Rhone-Alps. In order to achieve such a thing, ERAI (Entreprise Rhône-Alpes International = International Rhone-Alps Company) searches foreign investors and helps them in their development plan in the region. Since 1989, the Rhone-Alps region has a permanent office in Montreal. It must privilege economic contacts between Rhone-Alpine and Quebec business environments. After nearly 2 000 entreaties, more than 600 Rhone-Alpine companies were helped in their commercial development in Quebec. 18 Canadian companies were established in Rhone-Alps and 51 Rhone-Alpine companies were set up in Canada.

Created in 1984, the Jacques-Cartier Conversations federate numerous public Franco-Quebecker partners and private patrons. Each year, they gather academics, searchers and decision-makers. These conversations take place in Rhone-Alps, and every four years in Quebec. They benefit from the financial backing of the Rhone-Alps region.

In 2008, Rhone-Alps took part in the celebrations of the 400th anniversary of the foundation of Quebec City. It notably took part in the making of the Fresco of the Ideal City of Quebec (in Lyon) achieved by CitéCréation, and in the Fresco of the Wendat People (in Quebec City), made by MuraleCréation.

Fresco of the Lyonnais, Quebeckers' fresco...

The elaboration of each of these frescoes relies on the strong and fundamental images of the territories they illustrate, e.g. elements of architecture, of heritage, the marked rhythm of the seasons, legendary characters... and as soon as they appeal to the imaginary, as soon as they encourage the passer-by to raise his eyes, to wander out of the paved ways of the city and to defy the bans, they become passports to a dream. The picture, figurative though it is, does not prevail. What prevails is the emotion it conveys. For ten years, from Rhône-Alps to Quebec, CitéCréation and MuraleCréation have sowed their frescoes to the four winds, like so many allegories of form, colour, movement, sound, intelligence, knowledge and emotion.

The Fresco of the Lyonnais

At the corner of the "Quai St-Vincent" and the "Rue de la Martinière", Lyon 1, 800 sq. m., 1995.

The fresco of the Lyonnais tells Lyon's story, between the hills of Fourvière and of the Croix-Rousse, just a stone's throw from the "Place des Terreaux" and the Town Hall. It evokes the town through men and women who have shaped it. Here, on this wall painted in trompe-l'œil, the tribute they deserved is paid to them. From the more realist picture to the details punctuating them, from the production to a more subtle evocation, Lyon's heritage is displayed before the astounded eyes of the dumbfounded passer-by.
Nowadays, the fresco of the Lyonnais is part of Lyon's most visited sites, in the same way as the basilica of Fourvière or the Renaissance district of the Vieux-Lyon...

The Quebeckers' Fresco

La Cetière Park, "Rue Notre-Dame", "Place-Royale", Quebec City, 420 sq. m., 1999.

This fresco painted in trompe-l'œil, which, at first sight, looks like a view of Quebec City, methodically integrates many features specific to the capital city. Relying on the works of an experts committee, the artists designed this painted wall so that the city could be recognized through its architecture, its geography, its fortifications, as well as through its staircases. In counterpoint, this work evokes the rhythm of the seasons conferring on the town the changing colours the distant visitor likes to discover. As it became a symbol and of worldwide knowledge, it appeals to everybody who loves Quebec City. If you want to visit this town, you must first halt at the foot of this painted wall.

The "Petit-Champlain" Fresco

102-102, "Rue du Petit-Champlain", Quebec City, 100 sq. m., 2001.

The Petit-Champlain is the oldest district of North America. This trompe-l'œil was created on the soulless side wall of a three-storied house. It illustrates the important stages of life in Cap-Blanc, a popular and harbour district of Quebec City. There are symbols in the picture of the toybox, as well as in the immigrants' chest and in the pirates' treasure chest... Look at this woman watching out for her husband's return, look at these sails, these riggings... In July 1759, Quebec City was bombed by the British. The bombing lasted two months. The city painted here is nothing more than a ruined area... which is placed under the Good Father Frédéric's influence. Who's by the window? Jos Montferrand, "the strongest man of the world"!

The Pillars Frescoes

"Boulevard Charest Est" - "Rue St-Joseph", Saint-Roch, Quebec City. 2000-2002.

These frescoes of Quebec City were begun in summer 2000. At the crossing of Eastern Charest in the Low-city of Quebec, the ugly concrete pillars supporting the bridge of the Dufferin highway have been transformed in order to achieve a social rehabilitation through an art practising performed by teams of young painters. This work has become a typical example of the improvements wall paintings and new looks can bring to a rather few aesthetic urban area!

The Fresco of the Lauréat-Vallière Library

"Chemin du Fleuve", "Chutes-de-la-Chaudière-Est", Lévis, 120 sq. m., 2002.

Covering two right-angled walls of the building of the Lauréat-Vallière library, this fresco, organized in sets of shelves, tells the story and the cultural life of the Chutes-de-la-Chaudière-Est arrondissement. Besides the literary creation and reading, many things are evoked: wood trade, the "iron horse", the siege of 1759, the Amerindian presence, Quebec's bridge, and the traffic on the St Lawrence River in summer and in winter. A choice place has been reserved for Lauréat-Vallière (1888-1973), this ornamental sculptor born in Lévis.

The Fresco of the Gabrielle-Roy Library

"Rue du Roi", "La Cité", Quebec City, 600 sq. m., 2003.

This fresco painted in trompe-l'œil relies on the striking facts of the literature and history of the public libraries of Quebec City of the 19th and the 20th centuries. Celebrating 20 years in existence of the Gabrielle-Roy library, a selection of 20 quotations describing the city are gliding along the brick wall. Taken from literary works, these sentences orchestrate the music of words, the attachment to Quebec City, from Arthur Buies to Charles Trenet, and from André Marceau to Gilles Vigneault.

The Fresco of the General Hospital of Quebec City

At the corner of the "Rue Charlevoix" and of the "Côte du Palais", Quebec City. 420 sq. m., 2003.

This is a fresco painted in trompe-l'œil on the outer walls of the Education ward of the General Hospital of Quebec City, the most ancient hospital of North America set up in 1639 by the Augustinian hospitallers, who had come from Dieppe. This place is steeped in history and goes through 350 years of progress in the field of medical science, over six recreated buildings displaying as many different eras. In the last picture, we can see nowadays hospital. Real characters come in and out of the fresco through the door. This is the wall of hope – the hope of healing, of a sure and human gesture in an environment where devotion and the quality of the given treatment go with the most sophisticated medical advance.

The "Us, The Ordinary World" Fresco

1600, 8th Avenue, Limoilou, Quebec City, 220 sq. m., 2004.

Fresco painted on the blind wall of the gymnasium of Ferland community centre. Here we can see the identity principles of the evocation of places, of activities, and of architectural principles of the Limoilou district, which are beautifully treated, with a mastered technique of mural painting relying on the increase in the number of details the observer must find for a better comprehension of the whole work.

The Desjardins Fresco of Lévis

9, "Rue Monseigneur Gosselin", Desjardins, Lévis, 470 sq. m., 2006.

Made on the western wall of the gymnasium of the Secondary School of Lévis, this mural fresco, which theme has been entitled "The Passing" (the passing of time, of the seasons, people passing through woods or up a hill), is geographically hinged on St-Lawrence River, and is thus represented as a union link, and no longer as an obstacle to the success of Quebec City. It tells in pictures the very rich history of Lévis, from the time of Lauzon's seigniory up to these days. Although the horizontal reading of the work allows the observer to see the great institutions of the southern bank, the vertical reading of the scenes reminds us of the activities and the characters having marked its history.

The Fresco of the Horizon Centre

At the corner of the 4th Street and of the "Boulevard des Capucins", Limoilou, Quebec City, 420 sq. m., 2004.

Through a production recalling theatre, this painted wall evokes, over two seasons and on the Feasts theme, historic events, the meeting of European and Amerindian cultures, activities, the river, the brick houses decorated with staircases and galleries (real architectural originalities of the district), and the striking characters of this community.

The Desjardins Fresco of Beauport

580, "Avenue Royale", Beauport, Quebec City, 78 sq. m., 2005.

This trompe-l'œil was made on the following theme: "Beauport, culture and history". As it was painted on the outer façade of Rainville house, it offers the passer-bys an unusual page of reading presenting the striking facts of the history of this place, in the form of a series of pictures evoking the facts and personalities who had contributed to the building of Beauport since its foundation in 1634. It is said that all you have to do is walk in order to fall in love with the "Avenue Royale" and its treasures. The Time Gallery of the fresco of Beauport is the major jewel of it.

The Fresco of the Discovery of Cap-Rouge

Water-based recreational park of Cap-Rouge, Laurentien, Quebec City, 100 sq. m., 2007.

Put under the theme of "Discovery", this fresco relates the striking facts of Cap-Rouge's history, under Jacques Cartier's eye. One can recognize the "tracel" of Cap-Rouge bordering the snowy cape and spanning St-Lawrence Valley, the Blanchette House, St-Félix-de-Vallois church (1859), the convent of the Holy Family, the coast of Cap-Rouge... The 200.000 visitors of the park of Jacques-Cartier Beach will appreciate this "memory of the past" immortalizing, at the foot of the historic and archaeological site of Cartier-Roberval, the social and cultural liveliness of Cap-Rouge area, which nowadays is a district of Quebec City.

Ste-Anne-de-Beaupré's Fresco

9803, "Boulevard Ste-Anne", Ste-Anne-de-Beaupré, 180 sq. m., 2008.

Made on a blind wall of the museum on the occasion of the 350th anniversary of Ste-Anne-de-Beaupré's Sanctuary, this architectural trompe-l'œil displays, on five pictures painted like colourized postal cards of the past, themes stemming from the history of the City and of Ste-Anne-de-Beaupré's Sanctuary, such as the life of religious or secular men and women who contributed to its development, the rural aspect, the religious heritage, the artistic influence, the First Nations, the river, the holiday resort, the attraction of tourist activities, and the great events which have governed the eras.

The Fresco of Beaupré

11005, "Boulevard Ste-Anne", Beaupré, 45 sq. m., 2008.

View of the Mount Ste-Anne, through the doors and the windows of Morel Hotel, which accommodated the visitors of Beaupré from 1880 to 1960! This fresco relates the 80 years of the city and its economic, industrial, commercial and tourist developments. The church and its pinnacle seem to come from a picture book; the banks of Ste-Anne River, which is full of fish, are welcoming; the factories do not pollute yet, and the Côte-de-Beaupré is sparkling with autumn colours.

The BMO Fresco of the National Capital of Quebec

1037, "la Chevrotière", Quebec City, 450 sq. m., 2008.

It was made on a blind wall of Marie-Guyart building, the head office of the Minister of Education of Quebec, as a tribute paid to the town and to its status of political capital, which dates back to the beginnings of the colony, when Pierre Dugua de Mons and Samuel de Champlain chose to found the first permanent settlement of North America, in Quebec City. The central element of the trompe-l'œil depicts the façade of the Parliament Building, the head office of the National Assembly of Quebec City, where characters (both men and women) who, in their own ways, marked the political history of Quebec, are presented.

The Fresco of the Wendat People

"Place de la Nation", "Boulevard Bastien", Wendake, 40 sq. m., 2008.

The community of Wendake is situated north of Quebec City. Overhanging St-Charles River, next to Kabir-Kouba Falls, the Fresco of the Wendat people appears as a series of animals' skins painted in trompe-l'œil and putting in context the history of the Wendat and Huron nations. The different scenes symbolize the union and the survival in the respective worlds of men and women, through their activities and their family, social, commercial, daily and traditional links.

The Fresco of the Ideal City of Quebec

50, "Boulevard des États-Unis", Lyon, 8, 150 sq. m., 2008.

For the 400th anniversary of Quebec City, the Commission of the National Capital of Quebec and "Muralecréation" have joined with the Rhone-Alps region and with "Citécréation", in order to make a fresco in Lyon, on one of the façades of Antoine and Louis Lumière Secondary School. The Quebecker Jean-Paul Eid, a strip cartoonist, suggested "a town of dreams, a city risen in tiers, a city which feet are rooted in the river, and which head merges into the sky. In a both air and underwater view, a city crossed by the phantoms of its history: Champlain's ship, Frontenac's cannons, the Amerindians' canoes, the R100, which flew over the town in 1930 with, as a footbridge, a legendary bridge. A city suspended just below the surface, in the evanescent shade of a castle."

Crédits photographiques

© ELAH, Corinne Poirieux : pages 2-3, 4, 8, 19 h., 21, 24, 27, 29, 34-35, 37, 38, 39, 40, 41, 42, 46 g., 50, 51, 54, 55 h.g., 55 b.dr., 59 b., 60 b., 67, 69, 73 b., 75, 76, 77, 78, 79, 80, 81, 82, 83, 84, 85 h., 86, 87, 88 b., 89, 90, 91, 92 h.dr., 92 b.dr., 93 h., 93 dr., 94, 95, 96, 101, 102, 103, 108, 109, 110, 111, 114, 115, 116-117, 118, 119, 120, 129, 130, 131, 136.

© CCNQ : pages 123, 124, 125.
© CCNQ, Guy Couture : pages 52 dr., 63, 92 h.g., 92 b.g., 93 centre.
© CCNQ, Louise Leblanc : pages 22, 32 h., 72.
© CCNQ, Paul Dionne : pages 23, 107.
© CCNQ, Xavier Dachez : pages 85, 99.
© CCNQ, Michel Boudianne : page 65.
© CCNQ, Yves Tessier : page 71.
© CCNQ, Chantal Gagnon : page 97 h.
© CCNQ, Pierre Joosten : page 97 b.
© CCNQ, Patricia Bouchu : page 98.
© CCNQ, Marc-André Grenier : page 113.

© CitéCréation : pages 31, 43, 46 dr., 48, 49, 52 g., 53, 54 h.g., 55 b.g., 58, 59 h., 64, 104, 128, 134.
© CitéCréation, Bernath&Djaoui : pages 10, 12-13, 15, 17, 18, 56 b., 126, 127.
© CitéCréation, Claude Fézoui : pages 16, 47.
© CitéCréation, Etienne Heimermann : page 9.
© CitéCréation, Renaud Araud : 19 b.
© CitéCréation, Sky Productions-Christophe Gay : page 20.

© MuraleCréation : pages 26, 33, 36 g., 44, 56 h., 57, 60 h., 61, 62, 66, 68, 88 h., 112, 121, 132.

© Région Rhône-Alpes : page 126.

© Guy Dagnault : pages 14, 25, 30, 73 h.
© Mélanie Guay : pages 105, 106.
© Alice Jones : pages 36 dr., 45.

Table des matières

Distribution en librairie au Canada :
Prologue,
Téléphone : (450) 434-0306,
Télécopie : (450) 434-2627,
Sans frais : (800) 363-2864,
www.prologue.ca

Composition graphique : Zigzagone, Lyon
Achevé d'imprimer sur les presses de Beta Barcelone en juillet 2009